MONUMENT NATIONAL

JULIA DECK

MONUMENT
NATIONAL

LES ÉDITIONS DE MINUIT

L'ÉDITION ORIGINALE DE CET OUVRAGE A ÉTÉ TIRÉE
À VINGT-NEUF EXEMPLAIRES SUR VERGÉ DES
PAPETERIES SCHLEIPEN, NUMÉROTÉS DE 1 À 29 PLUS
SEPT EXEMPLAIRES HORS COMMERCE NUMÉROTÉS
DE H.-C. I À H.-C. VII

L'autrice tient à remercier
le Centre national du livre pour son soutien.

1

Les curieux nous visitent encore de loin en loin.
À travers les grilles hérissées de flèches à pointes
d'or, ils glissent leurs appareils pour immortaliser
la façade jaune et lisse. Du petit salon, nous les
observons se recueillir, échanger sourires et larmes
devant la dernière demeure d'une gloire nationale,
figure du patrimoine français.

Leurs commentaires nous parviennent par
le micro de la caméra de surveillance. Tous
s'étonnent que notre château soit si mal entretenu. Ils savent pourtant que nous n'avons pas les
moyens de tronçonner les ronces, de rafistoler les
murs. Les curieux disent encore que nous étions
bien chanceux, nous qui avons été élevés ici, c'est
un grand malheur de voir ce que nous sommes
devenus. Et les écoutant, nous nous cachons
un peu plus derrière les rideaux, terrés dans la

forteresse de notre enfance qui demeure, au fond du passé, le socle de nos vies.

Situé en lisière de la forêt de Rambouillet, notre château est bâti sur le modèle du Petit Trianon – quatre façades carrées affichant avec morgue une feinte simplicité. Notre mère adorait Marie-Antoinette. Elle adorait Sofia Coppola, elle adorait Marc Jacobs, qui avait donné une seconde jeunesse à la marque Louis Vuitton. Au temps de notre splendeur ronronnaient dans la cour les automobiles. Notre père aimait les moteurs. Il jouissait des vibrations mécaniques, des fumées qui s'élevaient en panaches bleus sur le sable de l'allée. La façade ouest ouvrait sur une terrasse en granit, à l'est s'ébouriffait le jardin anglo-chinois. Des saules s'inclinaient autour du lac tandis que, sur une petite île, un temple de Diane abritait une cascade si claire qu'on aurait dit du diamant liquide. Mais c'est à l'arrière du château que se dissimulait notre plus haute fantaisie. Dans la pelouse si longue qu'elle finissait avec la ligne d'horizon, notre mère avait fait creuser une gigantesque piscine, et dans ses eaux vertes flottaient les ombres de quatre immenses topiaires – as de carreau, cœur, pique et trèfle, plantés à chaque angle du bassin.

Serge avait longtemps été joueur. Mais notre mère l'avait repris en main. Elle se flattait souvent d'avoir su convertir cette passion vorace en végétaux inoffensifs. Plus tard, je me suis demandé s'il n'était pas cruel de lui mettre sans cesse sous les yeux le plaisir qu'elle lui avait interdit. Notre père s'aventurait rarement près de la piscine. Sans l'avouer, il trouvait un peu vulgaire ce suprême ornement de notre château. Il aurait préféré une extension contemporaine en matériaux glacés – vitres aux angles aigus, béton brut. Il goûtait cette suprême perversité de l'opulence qui se pare d'attributs industriels quand l'industrie a de longtemps été éradiquée. Notre mère, cependant, affichait ingénument sa prédilection pour l'Ancien Régime. Ambre voulait des lustres et des chandeliers, l'argenterie et le cristal qui reflètent à l'infini leurs flammes blanches sur des surfaces immaculées. Elle cultivait les choses brillantes avec une énergie mêlée d'angoisse, comme si elle craignait de s'éteindre à la tombée du soir.

On entrait au château par un vestibule de larges proportions. Fiché à mi-hauteur de l'escalier tournant, un buste de notre père accueillait le visiteur, trois mètres au-dessus du dallage de pierre crème. L'artiste avait travaillé le bronze à la manière d'un tableau cubiste. Ainsi, les yeux de Serge Langlois s'étaient démultipliés, affranchis de l'axe horizontal pour surplomber, tel un trophée de chasse, quiconque franchissait la porte de notre château.

Au grand salon, c'était une forêt de pieds cannelés, fauteuils cabriolets, poufs, sofa, méridienne, sur lesquels veillaient des pendules et des miroirs rehaussés d'or. Les sièges étaient tapissés de velours turquoise. Taillés dans la même étoffe, les rideaux étaient retenus par des passementeries jaunes et brillantes comme la monnaie.

Petits, nous croyions que, par une structure extraordinaire de notre parentèle, il existait entre les membres de notre famille une invisible hiérarchie. Celle-ci commandait que, si nous prenions l'apéritif tous ensemble au grand salon – nos parents, mon frère et moi, Anna, Ralph, Madame Éva, Hélène et Julien –, certains avaient le pouvoir de commander qu'on allume le feu et d'autres d'annoncer qu'Ambre était servie. L'inverse ne se concevait pas. Il n'était pas pensable que notre mère jette des bûches dans la cheminée ou qu'Hélène et Julien s'asseyent à table avec nous. Mais à l'heure de l'apéritif, le grand salon nous accueillait tous démocratiquement dans ses amples bras Louis XVI.

C'était le moment préféré de Serge. Il disait qu'alors nous formions la plus belle des tribus, celle de la fraternité. Notre père faisait lui-même le service. Bourbon pour Ralph, notre chauffeur, et pour Madame Éva, l'intendante du domaine. Notre nurse Anna prenait du jus de pomme, Hélène et Julien du pastis. Le couple était au service de nos parents depuis des années. Hélène veillait aux fourneaux tandis que Julien entretenait le parc. Nos splendeurs immatérielles et mobilières ne cessaient pourtant de les éblouir. C'est à peine s'ils osaient s'asseoir sur nos augustes fauteuils et, pour payer l'honneur qu'on leur faisait, ils riaient à gorge déployée aux premiers bons mots, versaient une larme aux histoires tendres.

Mon frère et moi jouions sur le tapis, tour à tour timides et exubérants. Ambre prenait des photos pour Instagram, puis elle faisait monter son bichon sur ses genoux. Caressant les poils toilettés de la bête, elle réclamait à Serge une anecdote. Il revivait alors pour nous ses plus grands succès, ses rôles qui avaient marqué l'histoire du cinéma, les hommages rendus par tous les puissants du septième art. Après quoi notre mère nous racontait des histoires de sa jeunesse – les chevauchées sur la plage en hiver, qu'elle passait à Saint-Tropez, les baignades l'été à la Martinique, où son père tenait un hôtel de luxe. Sa famille avait connu des difficultés, mais elle s'en était toujours relevée grâce à l'amour qui est plus fort que tout le reste. Et Ambre faisait une autre photo pour Instagram. Cinq cent mille abonnés en moyenne avaient du bonheur à partager nos moments d'intimité. Enfoncés dans le Louis XVI, nos parents reprenaient du champagne. Ils savouraient la bienheureuse ignorance des dernières secondes avant le couperet.

2

Cendrine Barou vivait avec son fils Marvin dans un pavillon au Blanc-Mesnil, au cœur du département numéroté 93. Une baraque semi-récente jamais crépie, où les semelles faisaient couic couic sur le carrelage marron. Les fenêtres fermaient mal, du plafond pendaient des fils, au sol prospéraient la poussière et les insectes morts.

La jeune femme avait choisi cette maison car la courette était ceinte d'un mur en parpaings. Cendrine prisait son intimité. Elle ne se souciait pas que la France entière soit à sa recherche. Elle ne pensait pas à sa mère, qui se rongeait les sangs, ni à son mari, qui se remettait plutôt bien. Elle travaillait au U. Le gérant disait « Super U », mais elle ne voyait vraiment pas ce que le magasin avait de super.

Pendant des semaines, la photo de Cendrine et

de son fils était apparue sur les chaînes d'information en continu, incrustée derrière des présentateurs chevrotant d'angoisse. Ces derniers avaient relaté de long en large comment la police, ayant creusé maintes pistes prometteuses suite à leur disparition, avait fait chou blanc. Les clients du U regardaient ces programmes. Mais aucun d'entre eux n'avait fait le rapprochement entre la pâle caissière – le gérant disait « hôtesse de caisse » – et la jeune femme sexy qui s'était volatilisée quelques mois plus tôt avec son petit garçon sur l'autoroute qui les ramenait de vacances.

Cendrine avait pris ses précautions. Elle ne s'était pas toujours prénommée Cendrine, non plus que son fils n'avait été baptisé Marvin ou que leur patronyme n'était Barou. Elle autrefois si svelte s'était bourrée de Tuc et d'Oreo dès qu'elle avait fui le domicile conjugal. Son mari lui disait qu'elle était grosse quand elle pesait quarante-huit kilos, qu'est-ce qu'il dirait maintenant – une montgolfière, un dirigeable. Elle avait aussi repensé sa coiffure. En trois quarts d'heure, elle était devenue platine. Puis elle avait négligé d'entretenir sa coupe et n'avait plus jamais utilisé de séchoir. Son carré plongeant s'était écroulé en mèches filasses. Ça fourchait comme une diablesse, lui répétait sa collègue Aminata, qui faisait semblant de vouloir la reprendre en main alors qu'elle était ravie d'avoir une moche à son côté pour briller seule dans le soleil du U.

Quand le gérant lui avait réclamé des papiers d'identité, Cendrine avait trafiqué les siens sur Photoshop. Elle avait l'habitude. À l'agence immobilière où elle travaillait avec son mari, elle falsifiait souvent les bulletins de salaire. Cette opération permettait de favoriser les aspirants locataires qui, en plus du montant affiché sur l'annonce, avaient la délicatesse d'allonger un petit complément liquide. La principale difficulté avait résidé dans l'obtention d'un numéro de sécurité sociale. Or il existait sur internet un marché dédié à ce problème. Des personnes sans intention de travailler y louaient leur numéro d'affiliation à des personnes très désireuses de le faire mais dépourvues, quant à elles, des prérequis administratifs. Cendrine ne débarquait pas d'un navire échoué en Méditerranée, elle avait négocié ferme. C'étaient néanmoins vingt pour cent de son salaire qu'elle rétrocédait chaque mois à la véritable Cendrine Barou afin que celle-ci l'autorise, elle aussi, à s'appeler Cendrine Barou.

Sept heures par jour, Cendrine regardait défiler les articles sur son tapis roulant. Ils passaient sous ses yeux comme des poissons multicolores, bondissant du flot au moment de scanner le code-barres – Fanta orange, bip, pizza regina, bip, nuggets de poulet, bip, crêpes fourrées au chocolat, bip. Les clients du U plébiscitaient les produits affichant la pire note au Nutri-Score, songeait Cendrine pendant que le tapis charriait, avec les emballages, des images de sa vie d'avant. En ce temps, elle privilégiait les épiceries fines, les producteurs locaux, les légumes biologiques. Aujourd'hui, elle éprouvait une joie sauvage à se gaver d'aliments jadis honnis.

– Alors la belle, on est trop timide pour montrer ses beaux yeux ? la plaisantaient des clients masculins sur son regard toujours baissé.

Mais Cendrine avait parfait son costume d'invisibilité. Un sourire ingrat suffisait à éloigner l'importun pendant qu'à la caisse mitoyenne, la superbe Aminata enfonçait le clou en faisant mine de voler à son secours.

– Laisse ma copine tranquille, rudoyait-elle en soignant son port de reine, tu vois pas qu'elle a des problèmes ?

Et c'est vrai que Cendrine avait des problèmes. Mais, si son nouveau corps n'attirait plus les commentaires flatteurs ni les sifflets dans la rue, il lui faisait un abri moelleux. Elle s'y sentait bien, comme dissimulée en pleine lumière, raconterait-elle à Madame Éva.

3

Jusqu'à l'âge de sept ans, mon frère et moi étions gardés par Anna. Notre nurse était une jeune femme calme et plate, pleine de douceur et d'attentions. Elle racontait des histoires de châteaux et de chaumières, s'émerveillait que des bergères y soient promues princesses, des crapauds métamorphosés en princes. Nous voulions lui dire que rien de tout cela n'était exceptionnel, mais nous craignions de la blesser. Anna avait grandi dans une banlieue affreuse, entassée avec ses frères et sœurs dans trois pièces donnant sur l'autoroute. Elle rêvait d'amour heureux dans de beaux décors. Ni mon frère ni moi ne nous intéressions beaucoup à elle. Anna venait d'un monde où les parents s'occupent eux-mêmes de leurs enfants quand ils rentrent de l'école. Plus elle se montrait douce, plus nous mordions la main qui nous caressait.

Il y avait au château une femme bien plus intéressante à nos yeux. Madame Éva était l'intendante du domaine. Bâtiment principal, dépendances, parc, automobiles, rien n'échappait à son contrôle. Droite comme un i dans son éternel costumepantalon noir, elle veillait à ce que nos possessions ne fuient ni ne rouillent, restent en parfait ordre de marche et même rutilent. Nos parents se reposaient entièrement sur elle. Madame Éva tenait les comptes, procédait aux dépenses nécessaires quand apparaissait une fissure et qu'il fallait convoquer l'architecte des Bâtiments de France pour la restaurer. Elle dirigeait les ouvriers d'une voix sûre, réglait les factures rubis sur l'ongle quand le travail était bien exécuté. L'ouvrage était toujours impeccable. Madame Éva savait conduire et rétribuer.

Pour se détendre, notre intendante lisait les faits divers. Elle les collectionnait comme d'autres les figurines de porcelaine, soigneusement rangés sur les étagères de sa mémoire. Et, quand un événement lui évoquait un épisode précis, elle nous le rapportait, comme pour l'aérer. C'étaient des affaires d'enlèvements et de rançons, d'innocents retenus dans des geôles obscures jusqu'à ce que même leurs parents les aient oubliés. Mon frère et moi frissonnions de plaisir et d'effroi quand elle nous racontait ses histoires horrifiques. Mais notre mère goûtait peu ces récits. Quand ils parvenaient à son oreille, elle reprochait vertement à notre intendante de nous farcir la tête avec des idées épouvantables. Notre père essayait en vain de la défendre. Serge appréciait dans son caractère tout ce qu'Ambre y trouvait à redire. Il estimait que Madame Éva était une artiste-née, qui avait eu pour seul tort de ne pas rencontrer son destin. Le compliment n'offensait personne, car comment prendre ombrage de cette femme sèche et sinistrée ?

La parole de notre intendante semblait à la fois dotée de pouvoirs magiques et vaguement annonciatrice de cataclysmes. Elle charriait dans son flot des pluies de sauterelles, des invasions de grenouilles, l'hécatombe de troupeaux innombrables et la mort de premiers-nés violemment désirés. Plus tard, quand les métaphores me sont devenues sensibles, j'ai compris qu'aucune épidémie ne s'abattrait jamais sur notre domaine. Mais de grands malheurs sur notre famille, indubitablement.

4

La pâleur de Cendrine Barou se noyait dans la grisaille du 93. Autour d'elle, tout arborait la même teinte livide – le ciel, les trottoirs, les faces plates des immeubles, et jusqu'à l'air qui plaquait sa poisse sur toutes les surfaces pour les faire paraître encore plus grises. Cendrine vivait fondue dans ce décor. Elle avait besoin de la lumière noire d'Aminata pour accéder à la vie.

Sa collègue du U avait grandi cité des Tilleuls, au premier étage d'une tour de seize. Aminata s'était vite imposée comme la reine incontestée du quartier. Ses longues tresses ramenées en bandeaux derrière de mignonnes oreilles encadraient des traits parfaitement modelés sur une silhouette idéale. La nature, exprimait Aminata par toute son attitude, avait déposé son œuvre dans ce corps, et il lui appartenait de veiller sur lui comme sur une divinité païenne.

Cendrine et Aminata s'étaient pour ainsi dire trouvées. Comme il arrive dans les paires d'amies très disparates, l'une apercevait chez l'autre tout ce qui lui manquait. Ayant fait une croix sur le sexe opposé pour elle-même, Cendrine ne se lassait pas d'examiner les hommes qui tentaient leur chance à la caisse d'Aminata.

Parmi eux, Abdul Belkrim sortait du lot. Nulle ne pouvait rester insensible à son profil de prince abyssinien. Abdul achetait des sodas énergétiques et des produits protéinés. C'était le seul client du magasin à se préoccuper du Nutri-Score, et c'était aussi un des rares dont l'avenir se dessinait au-delà du département.

Abdul avait été remarqué à seize ans à la MJC, où les animateurs l'avaient incité à cultiver son talent pour la danse. Il s'était entraîné. Bientôt il était repéré par les programmateurs d'un festival de hip-hop où s'affrontaient, chaque année, les meilleurs danseurs de la discipline. L'événement se déroulait dans le centre de Paris, et parmi le public se trouvaient des producteurs de rap. Quelques semaines plus tard, Abdul tournait dans le clip du come-back d'MC Solaar.

Comme Aminata, Abdul avait grandi cité des Tilleuls. Mais la jeune femme n'avait jamais enregistré sa présence dans le paysage. Il avait fallu que Cendrine, de la caisse mitoyenne, lui lance des coups de coude pour lui faire remarquer la présence d'Abdul dans l'allée des sodas. Il aurait pu faire du stock, lui représentait-elle, au lieu de quoi il préférait se ravitailler quotidiennement à la même heure, qui comme par hasard coïncidait avec leur fin de journée. De ce moment, Aminata avait observé avec plus d'attention sa nonchalante élégance en vêtements de sport.

Sur le conseil de Cendrine, son regard ne s'était levé que très progressivement. Quand Abdul passait à sa caisse, il avait droit à une œillade en coin, à peine un signe de reconnaissance. Puis une commissure avait frémi. Le jeune homme avait tenté un mot aimable. Les épaules d'Aminata avaient ondulé en douce moquerie. Cultivant tour à tour le sourire et l'indifférence, elle avait fini par se faire inviter chez lui. Mais Aminata n'avait pas l'intention de s'y rendre seule. Elle voulait du respect et des fleurs, pas question de se ramener comme sur un plateau. Et elle avait bien fait parce que, quand elle avait franchi la porte de l'appartement avec Cendrine, Abdul n'était pas seul non plus. Il triturait la console de jeu avec son pote Brahim.

Le maître de maison les invita à s'asseoir sur trois canapés en simili-cuir écarlate qui dessinaient un fer à cheval autour de l'écran géant. Puis il entraîna son pote à la cuisine afin de préparer un assortiment de Red Bull, de Pringles et de joints. Au salon, Aminata faisait la gueule.

Cendrine avait tempéré. Si Abdul roulait ses beaux muscles dans les rayons du U, il n'était pas téméraire au point d'affronter seul l'affolante Aminata. Les hommes paraissaient forts, assurait-elle, mais ils avaient leurs faiblesses aussi parfois. Aminata se demandait souvent d'où la pâle Cendrine tirait tout son savoir. On aurait dit qu'une vie antérieure lui avait enseigné des choses dont elle n'avait aujourd'hui plus l'usage. Mais Aminata passait somme toute peu de temps à s'interroger sur autrui. Tous quatre avaient donc bu des Red Bull en fumant, raconté des choses stupides jusqu'à ce que ces substances les incitent à prononcer des paroles encore plus stupides et qu'Aminata, consciente qu'elle n'obtiendrait ni fleurs ni respect ce jour-là, de dépit se retire dans la chambre avec Abdul.

Restée seule avec Brahim, Cendrine se renfonça dans le canapé. Autrefois, elle avait beaucoup pratiqué les hommes. Elle craignait que le naturel revienne au galop et de ne plus paraître, soudain, si godiche. Comme elle ne réagissait pas aux avances de Brahim, celui-ci se rabattit sur la console. Cendrine ignorait tout des jeux vidéo. Elle empoignait les manettes comme une poussette ou un caddie et se laissait dévorer par le premier zombie venu.

Car Cendrine ne prisait pas le jeu pour le jeu. Elle aimait les parties grandeur nature, s'avancer comme un pion et scruter les réactions de l'adversaire pour méditer son coup d'après.

Lassé par le manque d'entrain de la jeune femme, Brahim lui avait demandé si elle avait vu le clip d'Abdul, enfin, le clip d'MC Solaar où apparaissait Abdul, et comme non, il avait dégagé le jeu de l'écran pour lancer YouTube. Cendrine avait regardé la vidéo avec un regain d'intérêt. La prestation d'Abdul soutenait merveilleusement la mélodie du chanteur, chaque mouvement tendu pour servir le rythme. Puis Brahim s'était éclipsé aux toilettes.

Livrée à elle-même, la jeune femme avait ouvert l'historique du navigateur. Il était toujours instructif de savoir à quoi les gens s'intéressaient dans l'intimité. Bien sûr, elle s'attendait à tomber sur des plateformes pornographiques, qui l'auraient renseignée sur les préférences du maître des lieux. Mais Cendrine avait été surprise. À la place, elle avait découvert des adresses internet qui ne lui évoquaient rien, porteuses d'injonctions véhémentes. Comme Brahim vomissait aux toilettes, elle avait affiché les sites dans une fenêtre de navigation privée. Des messieurs enturbannés s'y exprimaient avec beaucoup de virulence. Avec un lyrisme un peu rebattu, ils exhortaient à rétablir la pureté par le crime, sous couvert d'une religion qui, dans ses excès, vous faisait aussitôt ficher par les services de renseignement.

Comme Brahim tirait la chasse, Cendrine avait précipitamment refermé la fenêtre de navigation. Lorsqu'il était revenu au salon, elle re-regardait le clip d'Abdul, battant négligemment la mesure sur le simili-cuir écarlate. Brahim se sentait mieux, il avait tenté un nouveau rapprochement. Mais avant qu'il ait eu le temps de s'affermir dans sa réso-lution, Aminata et Abdul étaient ressortis de la chambre, ce dernier, athlète émérite, n'étant visi-blement pas marathonien.

5

Métropolitaine par sa mère, Ambre tenait aussi de son père, longue et déliée comme un félin tropical. Pieds nus, elle dépassait encore Serge d'une tête, d'autant qu'il était plus âgé. Notre mère riait quand mon frère et moi disions «plus âgé». Elle préférait «plus vieux». Elle trouvait qu'on nous apprenait des mots compliqués à l'école et qu'il fallait rester simple dans la vie.

L'après-midi, Ambre nageait dans l'ombre des topiaires. Ses bras sortaient de l'eau et y replongeaient sans causer la moindre éclaboussure. Arrivée au bout du bassin, elle se retournait dans une gracieuse pirouette. Tout juste apercevait-on son maillot piquer vers le fond avant qu'elle réapparaisse au milieu de la piscine, égale, silencieuse, comme si l'air ne lui avait jamais manqué. Serge n'approchait du bassin que si elle tardait trop. À cette heure, son pas tanguait comme sur le yacht, aux vacances, quand toute notre famille naviguait dans les Caraïbes. Ambre poursuivait sa nage comme si de rien n'était. Elle continuait aussi longtemps que possible et ne s'arrêtait que lorsqu'il exigeait une réponse. Serge voulait savoir quand elle comptait sortir de l'eau, à la fin, et dans ces moments il était capable d'élever la voix. Ambre avait horreur qu'il monte le ton. Le château était plein de gens pour entendre, c'était désagréable pour tout le monde et mauvais pour l'image.

Nos parents s'étaient rencontrés à l'anniversaire de Virginia, la fille que Serge avait eue de son précédent mariage. Ambre allait au lycée avec notre demi-sœur. C'était un établissement de la Côte d'Azur, on y pratiquait plus volontiers l'équitation sur la plage que la géométrie. Serge ne vivait plus avec la mère de Virginia depuis longtemps, mais il avait tenu à organiser les dix-huit ans de sa fille, dans un restaurant de Saint-Tropez où convergeaient, l'été, les gloires du cinéma et de la chanson.

Prénommée Adrienne à la naissance, notre mère venait de se rebaptiser Ambre, sans savoir que le mot désignait une pierre semi-précieuse un peu saumâtre. Face au plein soleil de ses dix-huit ans, Serge bientôt quinquagénaire n'y avait vu que du feu. Ambre venait de remporter le titre de Miss Provence-Alpes-Côte d'Azur. Comme elle disait vouloir devenir comédienne, il lui avait offert des cours de théâtre. Serge s'émerveillait qu'elle récite ses rôles avec autant de cœur. Les répliques fusaient de ses lèvres comme l'eau pure de la roche et, si sa diction manquait de naturel, si elle se tenait au milieu de la scène comme un paquet, elle finirait par gagner en rondeur, il saurait lui apprendre.

Mais l'élève se révéla peu appliquée. Ambre avait grandi entre la Côte d'Azur et la Martinique, ainsi qu'on dit des privilégiés qui ont plusieurs ports d'attache, comme s'il était possible de vivre au milieu de l'océan. Il en était résulté que la jeune femme savait très peu où elle habitait. Parvenue à l'âge adulte, Adrienne rebaptisée Ambre n'avait qu'une ambition : fonder un foyer.

Sa première action avait consisté à remplacer les domestiques. Pendant les années qui avaient suivi son divorce, Serge avait vécu au milieu d'une foule de gens – gardes du corps, valets, secrétaires –, qui prenaient l'apéritif avec lui dans son appartement parisien. Mais à travers des sourires trop appuyés, une sollicitude à peine insistante, les employés de longue date auraient perpétuellement mis en exergue la comparaison à l'ancienne épouse dont Ambre faisait les frais. Et pas seulement à l'ancienne épouse, à la vraie.

La véritable épouse n'était pas la première. Comme souvent dans les carrières d'artiste, celle-ci avait sombré avec pertes et fracas dans les limbes des fiches Wikipédia, au chapitre des « débuts », ayant à peine réussi à produire un fils obscur devenu agent comptable ou assureur. Comme souvent, la véritable épouse avait été la deuxième. L'espace d'une décennie, Carole Desmoines avait été l'égale de Serge Langlois, son double en talent, en beauté, que les photographes avaient mitraillée sans relâche au bras de l'acteur, certains que ces clichés leur vaudraient immanquablement la couverture. Cela jusqu'à la rupture inévitable. Car cet homme était réellement impossible. Jaloux des attentions de sa femme, il exigeait constante réassurance mais s'avérait incapable d'en fournir aucune, et par-dessus tout impuissant à se retenir de planter son sexe dans la première mannequin venue et consentante. Avec son émotivité à fleur de peau, sa formidable sensibilité d'artiste, lui venait cette pulsion irrésistible. Les hommes seraient toujours les hommes, s'emberlificotait-il dans ses justifications, hésitant à jouer la carte de l'exceptionnel ou de l'ordinaire quand Carole, mise devant le fait accompli par des magazines peu scrupuleux, avait formulé des griefs tour à tour émus, éplorés, puis bien sentis.

Serge avait continué à s'emmêler dans ses raisons

entrecoupées de supplications et de reproches jusqu'à ce que, de guerre lasse, la véritable épouse renonce et fasse ses valises. Carole l'avait profondément aimé, commentaient les spécialistes. Mais elle avait fini par lâcher l'affaire, ébranlée par la révélation qu'elle ne lui devait rien, et, si l'heure était venue des bilans, que c'était peut-être même l'inverse. L'actrice s'était établie sur la Côte d'Azur avec leur petite Virginia âgée de huit ans et ne s'en était plus éloignée que pour les tournages.

Après la rupture, Serge avait vécu dix ans de dérive. Il avait toujours aimé le jeu. Ce goût s'était amplifié, stimulé par des valets, des secrétaires qui ne dédaignaient pas de soutirer quelques billets au patron. À vau-l'eau dans son appartement parisien, il éclusait les bourbons en abattant ses as, qui bientôt devenaient des huit puis des deux. Quelques mannequins venues et consentantes s'étaient mollement offertes à remettre de l'ordre dans sa vie. Mais elles dérivaient tant elles-mêmes, entre les injonctions perverses de leur métier et les excès qui permettaient d'y faire face, que l'expérience se soldait invariablement par un échec. Serge, dans le même temps, était de plus en plus sollicité. Aux incarnations solaires qui avaient fait sa réputation à l'écran succédaient les rôles troubles. Il y révélait une palette insoupçonnée, sans qu'on sache s'il imitait ses personnages ou l'inverse. Ce deuxième souffle ne faisait pourtant rien pour arranger sa situation personnelle. Quand il avait rencontré Ambre, tout le monde le croyait perdu pour l'amour, grand fauve sacrifié sur l'arène du cinéma français.

Ambre était l'opposé de Carole. Elle ne cherchait pas à se mettre en avant. Sur les photos, elle apparaissait en retrait, discret soutien de l'homme au sommet de sa gloire. Accessible et douce, elle avait vite emporté l'assentiment des magazines. Certains avaient tenté d'arracher un commentaire acerbe à l'ancienne épouse. La carrière de Carole avait connu une éclipse après la naissance de Virginia, mais voilà qu'elle rebondissait. À près de cinquante ans, on la voyait à l'affiche de films de plus en plus audacieux, courtisée par des réalisateurs danois, japonais. Et sa souveraine indifférence avait plus fait pour son image que si, par faiblesse, elle avait persiflé la terne ingénue qui pendait maintenant au bras de Serge Langlois.

6

Au U du Blanc-Mesnil, Aminata ne faisait plus que guetter les apparitions d'Abdul à sa caisse. Depuis qu'ils avaient conclu dans l'appartement du jeune homme, ce dernier se faisait rare. Il répondait mollement aux textos. Parfois on se voyait.

Suite à sa prestation dans le clip d'MC Solaar, Abdul avait reçu diverses propositions. Il avait notamment été sollicité par Virginia Langlois, la première fille de l'acteur, pour apparaître dans la vidéo qui devait lancer sa carrière de chanteuse. Il y était question d'amour contrarié entre une jeune femme captive de sa prison dorée et un enfant des quartiers. La chanson s'intitulait *Seule contre toi.* Dans la vidéo filmée en noir et blanc, Virginia posait maintes fois la pointe de ses seins contre le torse d'Abdul, avant qu'un souffle puissant ne les aspire l'un et l'autre vers l'arrière, ébouriffant ses grands cheveux à elle et le jetant, lui, dans un tourbillon de danse effréné. Jusque-là, on avait surtout vu Virginia Langlois sur les couvertures à scandale. Mais la presse s'accordait à écrire qu'elle chantait plutôt bien, dans un style à mi-chemin entre une Debbie Harry hexagonale et une Lady Gaga plus raffinée. Virginia faisait des télés. Abdul apparaissait chaque fois sur scène avec elle.

Aminata en conçut naturellement une ire homérique. C'était à grand-peine que Cendrine la retenait de proférer sur le répondeur d'Abdul des menaces de cataclysmes, tempêtes, vengeances infernales. Pelotant le bras de sa copine, cette dernière militait pour la ruse. Il fallait renouer avec l'indifférence, insistait-elle, mettre subtilement en valeur tout ce dont le jeune homme se privait en se tenant éloigné de son amie, et la roue finirait par tourner.

Triste au fond, Aminata se rendit à ces arguments. Mais elle appliquait la stratégie prescrite par Cendrine sans nuance. Sur son tabouret de caisse, elle était comme possédée, exhibant des tenues de plus en plus courtes et moulantes. Le gérant du magasin, qui craignait la fuite des mères de famille, lui en fit la remarque. On était au U, pas dans un sex-shop, avança-t-il avec toutes les précautions nécessaires. Aminata se scandalisa. S'il n'était pas content, il n'avait qu'à la virer. Elle porterait plainte à la Halde, tous ses collègues témoigneraient qu'elle était victime de discrimination. Puis, comme ces collègues rasaient les linéaires sans répondre, on s'en tint là, le gérant dubitatif et Aminata dans ses tenues de super pute.

Après le travail, la jeune femme retrouvait Cendrine au Tex-Mex du centre commercial. Celle-ci venait de récupérer son fils à la maternelle. Tandis qu'elle nourrissait le jeune Marvin d'une main distraite, Aminata épluchait les signes mystérieux qu'Abdul lui avait adressés au U – était-ce il y a huit ou dix jours ? –, sommant sa copine de les déchiffrer. Cendrine livrait toujours des interprétations favorables à son amie. Tout en enfournant du poulet sauce piquante dans la bouche de son fils, elle affirmait que les hommes avaient besoin d'être rassurés, mais aussi de rester les maîtres. Aminata demeurait perplexe face à tant de science. À voir Cendrine si mal fagotée, elle se demandait bien qui avait pu lui faire ce petit Marvin.

Pendant ce temps, Cendrine creusait mine de rien l'hypothèse du salafisme. Depuis qu'elle avait découvert une flopée de sites louches sur l'ordinateur d'Abdul, elle n'avait plus recueilli d'élément qui lui aurait permis de se faire une opinion. Chaque fois qu'il consentait un rendez-vous à

Aminata, elle s'informait de ses habitudes – s'il buvait de l'alcool, s'il priait. Les signaux étaient contradictoires. Le jeune homme rejetait l'alcool pour des motifs officiellement hygiéniques, mais il ne possédait pas de tapis de prière. Quant au ramadan, Abdul sondé s'était récrié avec véhémence qu'il le faisait, bien sûr, comme tous ses frères du 93. Mais Aminata, qui jeûnait pour un ensemble de raisons difficiles à démêler – tradition familiale, sororité dans la cité, cure détox –, Aminata doutait. La véhémence même d'Abdul, garçon placide, peu enclin aux proclamations idéologiques, suscitait sa méfiance. Elle le soupçonnait de se priver tant qu'il restait au Blanc-Mesnil, à portée de vue. Mais, si d'aventure il se trouvait à Paris, répétant une chorégraphie en studio ou écumant les boutiques avec ses nouveaux amis rebelles vuittonés, sans doute ne rechignait-il pas à consommer un Big Mac, un T-bone steak, et cela sans troubler le moins du monde sa conscience, comme si la frontière du département instaurait aussi une rupture religieuse et morale.

Au Tex-Mex du centre commercial, Cendrine ne savait donc que penser. Tout en retenant son fils de se pendre à un cactus en plastique, elle finissait par détourner la conversation pour ne pas avoir l'air de trop s'intéresser à des sujets qui ne la concernaient pas. Une fois leur repas terminé, les deux jeunes femmes flânaient dans les allées du centre commercial. Les néons des enseignes s'éteignaient à mesure que les derniers caddies filaient vers le parking. Sous l'abribus, pendant que le jeune Marvin envoyait des coups de pied dans le plexiglas, Cendrine soutenait encore que son amie devait prendre patience. Mais elle faisait aussi valoir qu'Aminata fêterait bientôt ses trente ans et qu'à cet âge, une femme doit avancer dans la vie.

7

Jusqu'à l'âge de trente ans, Ambre s'était épanouie à l'ombre de Serge. Il comblait à lui seul tout ce qui avait failli dans ses premières années – mère distraite, père absent. Et si elle avait conquis cet homme extraordinaire, c'était bien que, toute gauche et empotée qu'elle fût, sa belle âme le méritait. Ambre prenait plaisir à épauler son mari. À pas feutrés, elle s'initiait aux arcanes du cinéma. Elle lisait les scénarios puis formulait, non pas des avis, mais des sentiments. Il lui semblait qu'untel était plus en vue. Elle avait rencontré dans les coulisses d'une émission de télévision quelqu'un qui lui avait donné un tuyau. Et force était de reconnaître que, si elle attachait peu d'importance au texte, elle possédait un flair, peut-être en simple raison de sa jeunesse, pour discerner les réalisateurs par lesquels Serge Langlois saurait se renouveler.

Mais après douze ans de vie commune, Ambre avait souhaité connaître la joie ineffable que procure l'arrivée d'un enfant. Or, plus elle s'appliquait à faire rondir son ventre, suivant à la lettre les recommandations d'innombrables médecins et naturopathes, plus elle était déçue. Chaque mois la lune revenait sans qu'elle soit tombée enceinte. Elle se vengea en luttant contre les calories. On pouvait désormais dire qu'elle était maigre. Ambre en éprouva un sentiment de conquête, mais cette victoire n'était jamais poussée assez loin. La faim qui la tiraillait sans relâche suscitait en elle un désir furieux. Serge avait passé soixante ans. Fatigué que sa jeune épouse s'offre à lui avec une ardeur si intéressée, il avait reporté les yeux vers d'autres corps moins exigeants. Les mannequins venues et consentantes ne se racontaient pas d'histoires quant à leurs relations avec Serge Langlois. Elles n'espéraient même pas qu'il propulse leur carrière par un mot bien senti auprès d'un directeur de casting. Elles étaient surtout désireuses de voir comment jouissait, sous leurs assauts, un monument national.

Serge dessillé se plaignait amèrement qu'on le prenne pour un objet. Il avait cru sa personne irrésistible, c'était à son image qu'on en voulait. Il confiait à Ambre son amertume et, par une tournure d'esprit peu répandue, celle-ci en concevait une douleur modérée. Elle apercevait surtout qu'après un bref égarement, Serge reposait à nouveau sur son épaule tendre, et que le remords le rendait plus sensible à son influence.

Touché que ses errements ne rencontrent jamais de reproches, mais au contraire un amour patiemment renouvelé, Serge avait fini par s'intéresser à son projet. Ambre s'était résolue à adopter de petits Éthiopiens. À l'école primaire, elle avait braillé à tue-tête une chanson exprimant combien ils souffraient dans leur contrée abstraite, loin du cœur et loin des yeux. Pour manifester son bon vouloir, elle se promena dans les orphelinats du monde, auxquels elle fit des dons substantiels. Mais elle alla de déconvenue en déconvenue quand, promue ambassadrice de l'Unicef grâce à ses bonnes œuvres, elle découvrit que ce titre ne suffisait pas toujours pour se procurer les enfants qu'on voulait. Il fallait composer avec les réglementations locales, des différends plus ou moins nébuleux entre les pays. Puis, quand on avait contourné ces obstacles, on pouvait enfin parler du prix. Car ces transactions n'allaient pas sans occasionner de multiples frais. Il fallait sans cesse rassurer les autorités sur sa capacité à pourvoir aux besoins, supposés exorbitants, des petits qu'on vous cédait. Ces manœuvres usèrent sa patience. Elle finit par se rabattre sur mon frère et moi, nés en plein cœur de l'Asie centrale. D'une pierre trois coups, elle devint mère, affirma sa position d'épouse entièrement dévouée à sa famille et à la paix dans le monde, et s'assura la matière d'un compte Instagram bien nourri.

8

Il advint d'Abdul Belkrim ce qui se produit pour tous les protagonistes secondaires des écrans. Ils séduisent le temps d'une saison, puis, faute d'un petit supplément d'âme, d'un certain je-ne-sais-quoi, ils ne parviennent plus à retenir l'attention. Au bout de peu, on les a trop vus.

Consciente que son succès naissant ne tenait qu'à un fil, Virginia Langlois avait bazardé l'ancienne équipe et s'était envolée pour Los Angeles, où elle comptait se renouveler. Abdul était étroitement associé à la chanteuse. Après quelques apparitions dans des festivals de hip-hop et une publicité pour une mutuelle visant à diversifier le profil de ses sociétaires, les propositions tarirent complètement. Le jeune homme plongeait dans une déprime qu'il soignait en multipliant les rations de jeux vidéo et de frites.

Au U, Aminata était partagée. D'un côté, elle se désolait que l'ambition d'Abdul semble au point mort. De l'autre, le danseur abandonné se montrait plus disponible à l'amour. Ce sentiment paraissait du reste moins brûlant. Aminata ne faisait plus tant d'efforts pour s'apprêter, et c'était elle, désormais, qui mettait des heures à répondre aux textos. Cendrine essayait en vain de la remotiver. La carrière d'Abdul finirait par rebondir, elle en était sûre, il suffisait de voir MC Solaar, Madonna, toutes ces stars brillamment relevées de l'ornière. Aminata faisait la moue.

Les deux amies en étaient là, plantées au milieu de l'automne 2018, quand le gérant du U se déclara Gilet jaune. À l'inverse des autres commerçants, qui se barricadaient par crainte des insurgés, Mathias Doucet placarda une énorme banderole sur la devanture du magasin pour protester contre la hausse du prix du diesel. Ses revendications s'étendaient d'ailleurs au-delà de la suppression de la taxe carbone. Il réclamait le rétablissement de l'impôt sur la fortune et l'attribution de moyens supplémentaires aux communes déshéritées, sans quoi les injustices perdureraient inévitablement.

Pugnace, déterminé, Mathias attira l'attention des chaînes d'information en continu. Cet homme si peu remarquable au quotidien prenait subitement de l'envergure. Les journalistes interrogèrent les employés du U. Tous se déclarèrent solidaires du mouvement – à l'exception de Cendrine, qui ferma précipitamment sa caisse quand débarquèrent les caméras de CNews. C'était un fait connu de tous, elle était maladivement timide, si craintive qu'elle fuyait partout la lumière. Et Cendrine observait, stupéfaite, les habitants du quartier qui venaient maintenant au U pour parler à Mathias. On lui découvrait des qualités inaperçues, un esprit d'entreprise associé à un sens aigu de la justice. Certaines s'enquéraient de son statut matrimonial. Sur le tabouret voisin, Aminata souleva ses paupières plombées par le climat social. Elle jeta un regard en coin à Mathias et revint à son tapis de caisse – filets de dinde, bip, éponges double-face, bip, litière pour chat, bip –, à Abdul qui ne faisait rien pour sortir de l'ornière, bip. Il était temps de revoir sa stratégie.

Comme le jeune Marvin avait attrapé la varicelle, Aminata prit le bus pour rendre visite à Cendrine après le travail. Lorsqu'elle se présenta à la porte du pavillon, celle-ci se fit une fois de plus la réflexion qu'il fallait posséder ce genre de physique pour ne pas sembler ridicule, paradant au pied des cités en imprimés python ou panthère. Elle-même avait autrefois cultivé ce genre de panoplie. Elle n'en concevait plus que les désagréments.

Les deux jeunes femmes s'assirent à la cuisine.

Aminata jeta un regard désabusé autour d'elle. Cendrine n'avait fourni aucun effort de décoration depuis son emménagement au Blanc-Mesnil deux ans plus tôt. Elle éliminait le gros de la poussière mais n'avait jamais remplacé les assiettes en plastique ni les verres à moutarde ornés d'éléphants à tête couronnée. On aurait dit que Cendrine se croyait toujours en transition.

— C'est provisoire, confirma cette dernière quand Aminata émit des doutes sur une hypothétique sortie du tunnel.

Puis Marvin sortit de sa chambre en geignant, et Cendrine essaya de lui faire boire de l'eau sucrée.

— C'est marrant que tu l'aies appelé Marvin, ton p'tit babtou, commenta pensivement Aminata.

— Hein ? répondit l'autre.

— Marvin, ça fait renoi, comme Marvin Gaye. Moi j'ai jamais chopé un babtou.

Cendrine continuait de donner à boire à son fils, attendant la suite.

— Tu penses quoi d'Mathias ? lâcha finalement Aminata.

Cendrine resta silencieuse, ne sachant sur quel pied danser. Or il n'y avait avec Aminata qu'un seul pied, et il était invariablement sexuel.

— Comme mec, j'veux dire. L'est pas mal, nan ?

Cendrine redonna à boire à Marvin, qui s'étouffa, cracha, vomit, pleura, mordit, il fallut de longues minutes pour le rasséréner. Lors de ces minutes, Cendrine se conduisit en mère admirable. Sans se départir de son calme, elle accomplit tous les gestes pour sauver son fils de l'asphyxie, nettoya la table et le sol, en mère si naturellement admirable qu'elle réalisait ces gestes sans y penser, son cerveau demeurant libre de s'appliquer à un autre problème.

Il n'entrait pas dans son programme qu'Aminata se détourne d'Abdul au profit du gérant. Elle représenta à son amie les inconvénients d'un tel appareillage. Bien sûr, Mathias avait une situation. Mais le style, critère si essentiel aux yeux d'Aminata, lui faisait définitivement défaut. Et, chaque fois que cette dernière avançait un argument pour contrecarrer l'objection, Cendrine revenait à ce problème d'élégance, comme s'il constituait soudain, à ses yeux également, un obstacle indépassable.

– Nan mais d'où c'est qu'c'est si important pour toi l'style ? finit par s'énerver Aminata en toisant le jogging de Cendrine.

Celle-ci comprit qu'elle avait poussé trop loin le bouchon. Tout en leur servant des spaghettis bolognaise dans les assiettes en plastique, elle réussit néanmoins à placer que l'essentiel, en amour, était de bien se connaître. Comme Aminata restait mutique, elle crut qu'elle avait visé juste, et elle lui fourra des Granola dans la poche avant de la mettre dehors. Cendrine devait se lever tôt pour amener Marvin chez la nourrice, l'école refusant de le reprendre tant qu'il restait contagieux. Aminata s'interrogeait parfois sur les ressources de son amie. Il ne lui semblait pas que le salaire du U permette de s'offrir, en plus de la location d'un pavillon, une garde d'enfant. Quand elle avait l'avait interrogée à ce sujet, Cendrine lui avait servi une vague histoire d'héritage. Aminata n'avait pas poussé l'enquête. Elle n'imaginait pas que la pâle Cendrine pût avoir une existence hors de son orbite.

Restée seule, cette dernière s'assura que Marvin ronflotait tranquillement. Puis elle rangea la cuisine, satisfaite. Aminata était têtue mais influençable. Elle ne tarderait pas à revenir à la ligne abdulatique qu'elle avait tenue jusque-là.

9

Nos parents s'étaient réparti le choix des pré-
noms. Serge avait choisi Joséphine parce qu'un
ami chanteur l'avait employé dans une chanson
devenue célèbre. Quant à Ambre, elle avait opté
pour Orlando parce que c'était la ville de Disney
World en Floride, et qu'elle y avait vécu, petite, des
moments inoubliables. Serge qui n'écoutait jamais
fantasmait un souvenir de lecture, du temps où elle
envisageait le métier de comédienne. Il se félicitait
par-devers lui qu'elle rende un hommage à Virginia Woolf, et, ce faisant, un autre plus discret à
Carole Desmoines.

En baptisant la fille qu'elle avait eue avec Serge,
l'ex-épouse s'était ouvertement référée à cette
autrice. Carole interprétait des rôles de femmes
libres, parlait dans ses interviews de figures histo-
riques inspirantes. Ces derniers temps, elle avait

même publiquement soutenu le mouvement des Gilets jaunes. Serge, qui s'était autrefois affiché auprès d'un vieux président en campagne, se désolait de ces éclats. À son côté, Ambre haussait les épaules pour ne pas perdre la face. Notre mère était parfaitement vierge en politique. Elle savait aussi qu'elle ne soutenait pas la comparaison avec l'actrice, tant par déficit de personnalité que parce qu'elle avait tout sacrifié à sa carrière d'épouse.

Ambre s'était donné tant de mal pour nous obtenir, elle ne pouvait rien nous refuser. Elle nous rapportait toujours un petit quelque chose de ses sorties – une peluche, un cerceau, un scoubidou. Mon frère et moi aurions préféré des livres. Devant nos airs dépités, elle prenait la mouche. Notre mère avait des enfants pour qu'ils mettent de la joie dans son foyer, pas pour qu'ils tirent des têtes d'enterrement. Mais elle finissait toujours par céder. C'était son plus grand tort, ne rien savoir nous refuser.

Le chauffeur Ralph nous conduisait alors chez le marchand de journaux. Ambre chaussait ses lunettes noires dès qu'elle descendait de la Bentley. Les passants se retournaient derrière nous, certains prenaient des photos. La semaine suivante, elle nous montrait dans un magazine les images qu'on avait prises à cette occasion. Mon

frère et moi portions toujours des tenues ingé-
nieusement assorties à ses vêtements. Puis, quand
nous demandions comment le photographe du
journal s'était trouvé là par hasard, elle déclarait
en riant que nous étions bien futés pour notre
âge.

Le marchand de journaux raffolait de nos
visites. Il complimentait Ambre sur ses habits à la
fois chic et décontractés. Et c'est vrai qu'elle était
jolie avec ses boucles brunes qui tressautaient sur
son trench beige, son jean et ses baskets toutes
simples. Comme il y avait très peu de livres dans
le magasin, nous prenions des *Mickey*. Ensuite
le marchand réclamait un selfie. Sa drôle de tête
nous faisait rire. Nous disions à Ambre de mettre
la photo sur Instagram, mais elle répondait qu'il
fallait privilégier les beaux décors, ou nos abonnés
seraient déçus.

De retour au château, nous nous installions sur
la méridienne avec nos *Mickey*. Nos pieds touchaient à peine terre. Pendant qu'Ambre lisait à
voix haute le texte dans les bulles au-dessus des
personnages, nous examinions les dessins. Mon
frère et moi avons commencé à déchiffrer malgré
nous. Par connaissance intime des images, nous
devinions ce que racontaient les souris en pantalon, les canards en redingote, avant qu'elle ait eu le
temps de nous rapporter leurs propos.

Le jour où elle comprit que nous étions autonomes en lecture, Ambre referma le *Mickey* et demanda pourquoi elle se fatiguait, puisque nous étions si savants. Je retins sa main. Je lui dis que nous avions besoin d'elle, que l'avenir nous faisait peur. Elle me regarda sans comprendre. Elle trouvait qu'il était trop tôt pour penser à l'avenir, qu'il fallait profiter de l'enfance. Mais j'insistai. Je dis que j'aimerais savoir, pour après. Ambre crut me rassurer en m'expliquant que je pourrais devenir tout ce que je voulais – actrice, chanteuse, ou même ambassadrice de l'Unicef comme elle quelques années plus tôt. Mais je n'étais pas inquiète pour le métier, j'étais inquiète en général. Notre mère jura que mon frère et moi ne manquerions jamais de rien : nous étions ce qu'elle avait de plus cher au monde avec Serge, elle tenait à nous comme à la prunelle de ses yeux.

Justement, je voulus savoir ce qu'elle aurait fait si nous n'étions pas entrés dans sa vie. Ambre m'avoua qu'elle aurait sans doute eu d'autres enfants. Puis, quand je demandai à quoi ils auraient ressemblé, elle me dit d'arrêter avec mes questions : je devais savoir que c'était un sujet pénible pour elle. Oui, je savais que notre mère nous avait eus parce qu'elle ne pouvait pas avoir d'enfant. Et bien sûr que nous étions ses enfants. Mon frère et moi n'avions pas d'autre père ni d'autre mère. Pourtant il suffisait de regarder dans le miroir, de comparer ses longues jambes cuivrées, ses grands yeux noirs, à mes petits genoux potelés, à mes minces paupières orientales, pour comprendre que nous étions parfaitement étrangères l'une à l'autre.

La révélation causa au château un énorme scandale. Une journaliste venue interviewer Ambre osa lui demander si elle était maintenant réconciliée avec Carole Desmoines puisqu'elle avait recouru à la même source d'inspiration pour prénommer l'enfant qui faisait aujourd'hui son bonheur et sa joie. Ambre d'abord ne comprit pas. Elle réclama du thé, touilla, but, se fit répéter la question, enfin se la fit expliquer par Madame Éva qui rôdait dans le grand salon pendant que la journaliste se rendait aux toilettes. Quand celle-ci fut de retour, Ambre la mit à la porte et le soir passa à Serge un énorme savon. Elle se plaignit âcrement de n'avoir pas été informée qu'Orlando était un personnage de cette madame Woolf, et Serge hébété répondit pardon, je croyais que tu savais.

Orlando prénommé par quiproquo, révélé par accident, dès lors fut considéré avec suspicion. Orlando était la douceur même. Des années plus tôt, nous avions partagé le même ventre. Mais les gènes s'étaient répartis. À mon frère était échue l'innocence, à moi l'intransigeance et l'obstination.

Orlando demeura à l'isolement jusqu'à ce qu'Ambre trouve une solution à son problème. Il ne fut pas enfermé dans un donjon, une cave, une oubliette. Il fut tenu à distance des attentions, des faveurs, même si j'insistais toujours pour qu'il perçoive sa juste part de *Mickey,* de poulains.

Pour notre anniversaire, notre mère nous offrit des poulains jaunes. Palomino, corrigeait-elle. La couleur jaune évoquait à ses oreilles des associations douteuses, pour l'heure indétectables par nos petites ouïes asiatiques.

Un enclos fut édifié derrière la piscine aux topiaires. Je haïssais les poulains, leurs pattes frêles prêtes à casser, leurs yeux tendres pleurant une mère à jamais envolée. Ambre ne voulait rien savoir. Elle disait que j'avais peur, qu'elle m'apprendrait : j'étais une petite fille, il entrait dans ma nature de chérir les poulains. Elle était si heureuse de me rendre heureuse à mon tour.

Orlando tenu à l'écart des attentions, des faveurs, mécaniquement se rabattait sur les poulains. Mon regard se cramponnait à lui de crainte qu'il s'évanouisse. Et dans un battement de paupières, il disparaissait en effet, infiltré dans l'enclos, papotant avec eux près du foin, jusqu'à ce qu'Hélène ou Julien accoure et gronde, terrifié qu'il arrive malheur au troisième trésor d'Ambre, après Serge, après moi.

Une solution fut trouvée. Ory. On l'appellerait Ory. C'était original, c'était chic. Ainsi mon frère perdait quatre lettres mais retrouvait son couvert à table avec nous.

10

Les prédictions de Cendrine furent mécham-
ment déjouées. Quand elle prit son poste au U le
lendemain, elle vit Aminata débarquer en col Clau-
dine et jupe tartan. Jupe ultracourte, néanmoins,
assortie de cuissardes, qu'elle portait plutôt bien.
Ce fut un grand renversement parmi les employés
mâles du supermarché. Ils se cramponnèrent, qui
à un rayonnage, qui à une pile de traîtres légumes,
ceux-ci refusant de leur fournir un appui, et durent
à un ultime réflexe de ne pas s'écrouler parmi les
étals quand la reine Aminata contourna les caisses
dans sa panoplie d'écolière lubrique, les fines
tresses de sa coiffure martelant ses fesses jusqu'à ce
qu'elle daigne enfin les poser sur son tabouret.

Lorsque Abdul vint faire provision de sodas,
elle l'ignora ostensiblement. Pendant ses pauses,
elle concentrait soudain toute son attention sur

la lecture du *Parisien,* où elle étudiait les actions des Gilets jaunes. Elle déployait tant d'efforts pour s'informer que le gérant en eut de l'émotion. Au bout d'un mois, c'était dans la poche.

Clients et employés observèrent ce couple impensable avec effarement. À l'évidence, ça ne pouvait durer. Certaines demeuraient en embuscade. Les hommes du magasin observaient leur chef avec un mélange de respect et d'envie. On se proposait de le dessiller sans en trouver la force. On patientait.

Ignorant les regards dubitatifs qui pesaient sur eux, Mathias et Aminata s'absorbaient dans la communion de leurs cœurs. La jeune femme rayonnait spécialement. Sans renoncer aux apparences, elle avait remisé les peaux de bête, comme si la saison de la chasse était close. En plus des reportages sur les Gilets jaunes, elle lisait maintenant les articles concernant Michelle Obama. La femme de l'ancien président des États-Unis effectuait une tournée mondiale pour promouvoir son autobiographie. Elle devenait un modèle pour les jeunes femmes noires, qui puisaient en elle assurance et inspiration. Aminata portait des robes audacieuses et bien coupées. On pouvait désormais la dire élégante.

Autour de Mathias, les prétendantes battirent en retraite, puis les militants. De toute façon, le mouvement s'essoufflait. Le gouvernement avait mis en place une consultation nationale pour persuader la population qu'il se préoccupait de ses avis, et les citoyens, usés par la lutte et la matoiserie démoniaque de l'exécutif, ne pensaient plus qu'aux vacances. De l'avis général, ça se tassait.

Abdul, cependant, avait ralenti sur les frites. Passé un hiver peu glorieux, il remontait la pente. Sans renouer avec le succès, il découvrait qu'il existe, pour les semi-célébrités officiellement déclassées, un marché secondaire. Nul ne se serait risqué, un an plus tôt, à l'approcher avec de telles propositions. Mais on sentait qu'il était mûr. On se ruait sur la bête affaiblie.

Le jeune homme était devenu instructeur personnel. Il se rendait chez des chanteuses, des actrices, des femmes de footballeurs, et musclait ces corps déjà tendus par l'ascèse. Abdul s'avérait excellent professeur. Et s'il éprouvait du dépit que sa carrière dans le show-business se soit arrêtée net, il n'en laissait rien paraître. Au contraire, il aimait adoucir le quotidien de ces femmes choyées comme des chattes qui ne souriaient pas si souvent. C'était si bon d'être instruite par un beau jeune homme qui replaçait une hanche, un bassin, d'une pression délicate. Certaines seraient volontiers allées plus loin. Mais Abdul entretenait le désir en ne l'assouvissant jamais. Respectueux,

reconnaissant, il berçait sa cliente de vocables enjô-
leurs, laissant entendre qu'il perdrait ses moyens
face à une femme si splendide, et la réalité s'enfouissait sous la plaisanterie. Il n'allait pas risquer
sa réputation chèrement restaurée pour un coup
foireux, arguait son pote Brahim, qui le surveillait
comme le lait sur le feu.

Telle Cendrine avec Aminata, ce dernier n'avait
pas l'intention de laisser le premier de cordée
s'élancer seul vers le sommet. Il avait bien l'intention d'être tracté à sa suite, et il le soutenait par
tous les moyens possibles. Pour décharger l'esprit
de la clientèle de considérations post-coloniales
importunes, Brahim avait conseillé à son ami
d'abandonner le -krim à la fin de son patronyme
de naissance. Délesté de ce suffixe, le nouveau
coach surfait sur la vague. Un encadré lui fut
consacré dans le magazine *Elle*, une pleine page
dans *Madame Figaro*. On raffolait d'Abdul Bel.
Son nom était sur toutes les lèvres.

11

Mon frère et moi fréquentions une école privée en bordure de la forêt. Les enfants des vastes demeures alentour aimaient beaucoup jouer avec nous. Eux si uniformes, ils nous trouvaient jolis et drôles. Mais nous n'étions jamais invités aux fêtes d'anniversaire.

Les familles avoisinantes habitaient leurs terres depuis des siècles. Leurs ancêtres avaient bâti les manoirs qui abritaient aujourd'hui leur progéniture, formidablement nombreuse et pointilleusement éduquée. Et si le confort de notre château n'avait rien à envier à leurs noires murailles, une chose impossible à nommer nous faisait défaut. Sans le moins du monde relever nos manquements, les familles alentour nous tournaient le dos. Nous savions pourtant ce qu'on pensait de nous. Nos voisins jugeaient que notre fortune était bien trop jeune, et que la gloire de Serge ne compensait en rien notre déficit au regard de certaines lois immémoriales. Seul le déclin de tout ce qui fondait leur droit avait pu imposer notre présence sur leur territoire. Et il suffisait de nous avoir croisés une fois pour comprendre que jamais nous n'acquerrions la légitimité inscrite, par l'accumulation des siècles, dans l'humus de leurs terres et le sang de leurs veines.

Ambre souffrait violemment de cet ostracisme. Elle était populaire, presque autant que Serge, et elle se tourmentait que, par principe, sans avoir cherché le moins du monde à la connaître, on lui ferme la porte. De retour de l'école, nous lui rapportions comment les autres enfants posaient mille questions sur notre père, parce que tel film ou anecdote avait suscité la curiosité de leurs parents. Elle devinait alors que ceux-ci les avaient chargés de se renseigner pour ne pas avoir l'air de s'intéresser ouvertement. Le bichon jappait dans nos pattes. Il essayait d'attraper les miettes de barquettes aux fraises qui pleuvaient sur le velours turquoise, et nous lui envoyions des coups de pied pour le faire déguerpir. Furieuse, Ambre me traînait au haras.

Comme je rechignais à apprendre le poulain, notre mère me faisait donner des leçons d'équitation. On me revêtait d'une bombe, d'une jaquette et de grandes bottes malcommodes, et on m'installait sur un poney moucheté rasant terre. L'instructrice était une jeune personne douce et pâle, dans le genre de notre nurse Anna. Ambre semblait les choisir exclusivement de ce modèle, de sorte que leurs cheveux ternes ne fassent pas concurrence à ses boucles indomptées, leur molle corpulence à sa maigreur athlétique.

Dans le manège mitoyen, elle évoluait avec grâce sur sa jument. Elle retrouvait ses sensations de jeunesse, quand, avec notre demi-sœur Virginia, elle chevauchait sur la plage de Saint-Tropez vers l'horizon des hommes. Des silhouettes idéales se découpaient sur le ciel pur, assemblages de beaux visages mâles, de torses forts, de bras protecteurs. Bombe enfoncée sur le crâne, Ambre se cramponnait à ses souvenirs. Elle ignorait le plus longtemps possible mes protestations tour à tour plaintives, geignardes, puis proprement insurrectionnelles. Mon frère Ory, resté au château sous prétexte qu'il aimait déjà les poulains, aurait été si heureux de monter à ma place. Mais notre mère savait ce qui était juste. C'était donc à moi qu'on dispensait ces leçons punitives, et elle qui endurait mes plaintes avec abnégation.

De retour à l'écurie, Ambre cherchait l'appui des autres cavalières. Elle supposait que, pourvues de descendances nombreuses et dociles, celles-ci détenaient des secrets transmis dans l'obscurité des antiques murailles. Les clientes du haras se gardaient bien de la détromper. Sans s'ouvrir à leur tour des puissances qui les animaient, elles lui prêtaient une oreille attentive, puis elles observaient un silence charitable et sournois.

Au bout de plusieurs mois, Ambre finit tout de même par se faire une amie. Sophie de Mézieux avait travaillé dans la finance avant de se vouer à la vie familiale. Chaque matin, elle posait un baiser sur le front de son mari, qui partait pour son siège social dans le quartier de la Défense. Puis elle se consacrait à l'éducation de leurs quatre petites filles tout en s'interrogeant avec effroi sur le total d'enfants que la vie lui réserverait.

Pendant les années qui avaient précédé son mariage, Sophie avait porté des robes moulantes, dansé en boîte sur les Champs-Élysées, couché avec une vingtaine d'hommes du modèle de monsieur de Mézieux. Elle se revoyait encore traverser la place de la Bourse d'une jambe alerte, boire du champagne jusqu'au petit matin puis retourner jouer sur le cours des matières premières comme à la roulette ou au bandit manchot.

Dix ans plus tard, Sophie lisait *Madame Figaro*. C'était une saine lecture le dimanche, quand les petites jouaient dans le parc du manoir et qu'elle petit-déjeunait avec son mari sous la véranda. À travers les massifs de roses, Sophie distinguait leurs frêles silhouettes vêtues de broderies anglaises. Elle reposait la cafetière en argent puis jetait un regard furtif à son époux. À l'autre bout de la table, Geoffrey tournait les pages du *Figaro Magazine* en poussant des grognements satisfaits chaque fois qu'un éditorialiste conspuait les actions des Gilets jaunes. Sophie éprouvait alors fugacement la sensation d'harmonie que lui vendait son organe de propagande favori. Mais ce sentiment refluait vite, et elle replongeait dans sa lecture pour l'entretenir, se forçait à une opinion sur les maillots de bain et les marinières qu'on porterait l'été suivant à La Baule ou à Saint-Jean-de-Luz. Sophie songeait justement qu'elle aurait besoin de quelques séances de remise en forme avant la plage quand elle tomba sur la photo d'Abdul Bel.

Le coach des stars était d'un noir qu'elle n'avait plus eu l'occasion de croiser depuis ses années parisiennes. Son profil de monarque abyssinien, son corps oint de lumière appelaient des enlacements voraces. Sophie n'avait jamais fait l'amour avec un Noir. Elle n'en avait même jamais conçu l'idée. Mais elle imagina de se rapprocher d'Abdul dès qu'elle entrevit le lien qui l'unissait à notre famille.

Je venais de jeter ma bombe dans le foin quand Sophie s'avança vers Ambre avec un air de profonde sympathie. Les petites filles de mon âge étaient si capricieuses, Sophie en savait quelque chose, elle qui en avait quatre et serait ravie de les lui présenter si notre mère acceptait de venir prendre le thé chez elle.

Trois jours plus tard, j'accompagnais Ambre au manoir des Mézieux. C'étaient partout des commodes en bois sombre, des courtepointes brodées, des pierrots en porcelaine dont il fallait prendre grand soin. Comme les petites Mézieux me cajolaient sans relâche, palpant mes cheveux lisses pour les comparer à leurs frisottis, je les écartai de force et regagnai la véranda où bavardaient nos mères.

Mon frère Ory était resté au château sous prétexte que l'invitation ne concernait que les femelles des familles. Occupé près des poulains, il nous avait parfaitement oubliées. À notre retour, je parvins tout juste à l'intéresser en lui rapportant qu'Ambre et sa nouvelle amie avaient décidé de prendre des cours de yoga, que ces leçons seraient dispensées au château, et que le donneur de leçons était parfaitement noir.

12

D'abord Serge n'avait pas été content de trouver toujours Abdul sur son chemin. Dans la cour ou le parc, il butait sans cesse sur le jeune homme, qui installait ses accessoires sur le lieu le plus propice à la séance de l'après-midi. Pourtant le sourire d'Abdul marquait en toute circonstance son plaisir d'être ici, parmi nous, au cœur de cette aisance dont rien ne le prédestinait à jouir.

À l'ombre des topiaires, Ambre et Sophie suivaient ses instructions avec ferveur. Elles saluaient le soleil pour se retrouver à quatre pattes sur leur tapis, puis, fesses pointées vers le ciel, cambraient la taille avant de tendre une jambe après l'autre en direction de la piscine. Abdul saisissait leurs orteils pour s'assurer qu'ils étaient raides. D'une pression douce, il vérifiait la tension des cuisses, la contraction des ventres, et Serge qui traversait la pelouse à cet instant échangeait une grimace avec notre intendante.

Mais Abdul avait à cœur de rassurer. Sans savoir précisément dans quels films notre père avait tourné, il lui vouait une admiration sans borne. Le jeune homme révérait sa stature de patriarche. Il ne manquait pas une occasion de l'interviewer sur sa carrière. Bientôt Abdul fut convié à l'apéritif. Puis on lui offrit de s'installer à demeure.

L'attique était pourvu de chambres spacieuses et confortables, avec écrans géants et mobilier Louis XVI qu'on n'avait pas pu caser aux niveaux inférieurs. Mais la plus grande pièce était déjà occupée par notre cuisinière Hélène et son mari Julien : il n'était pas question de les déloger, non plus que notre nurse Anna, qui bénéficiait de la chambre avec la plus jolie vue, ou le chauffeur Ralph, qui avait élu domicile dans la tanière la plus isolée, après un renfoncement du couloir. Abdul pourrait peut-être s'installer au pavillon de chasse, où demeuraient Madame Éva et son mari Charles ? suggéra Hélène. Ambre était tentée par cette solution. Tout ce qui rognait sur les prérogatives de notre intendante lui était agréable. Mais Serge s'y opposa fermement. Il invoqua la compétence d'une employée sans laquelle nous aurions dépensé sans compter et, surtout, le respect dû aux aînés. Serge ne dédaignait pas, d'autre part, de faire un crochet par le pavillon de chasse. Il y sirotait un bourbon avec Charles. Indolent et mutique, le mari de notre intendante l'écoutait généraliser sur l'époque et les femmes, opinant à l'occasion d'un long branlement du chef, et Serge se félicitait qu'ils tombent d'accord sur un si grand nombre de sujets. En fin de compte, on dénicha pour Abdul un bout de grenier convertible en loft, et notre coach prit ses quartiers au château.

Mon frère et moi étions très curieux de ce personnage. À l'apéritif, je l'interrogeai sur ses origines. Abdul nous conta des histoires de béton et de bitume, puis il nous montra une figure de hip-hop. J'en profitai pour effleurer son bras et vérifier qu'il était fait de la même matière que nous. Abdul rit de ma surprise, avant d'ajouter que je ne devrais pas tant faire la maligne : dans son quartier, certains m'auraient appelée la Chinetoque.

— Cette enfant est d'origine kirghize, s'étrangla Ambre, qui avait à cœur de préserver mon honneur sans offenser sa nouvelle recrue.

— Notre enfant, corrigea Serge, qui n'avait pas suivi la dérive de la conversation et remplissait le verre de Madame Éva puis le sien au passage.

— Bien sûr que notre enfant est cette enfant, s'emmêla Ambre, et elle ordonna à notre nurse de nous mettre au lit.

Or nous ne l'entendions pas de cette oreille.

Nous entendions savoir ce qui, aux yeux de certains, nous différenciait de nos parents autant que d'Abdul, et comment ces catégories s'organisaient entre elles.

– Toutes les races du monde sont égales dans mon cœur, glapit notre mère.

– On ne dit pas race, c'est raciste, plaça Madame Éva.

– C'est évident, on ne va pas en faire un plat, s'impatienta Serge, qui aurait voulu qu'on en revienne à lui et à ces montagnes de questions qu'Abdul lui posait sans arrêt.

– Tu ne supportes pas qu'on s'intéresse à moi, bouda Ambre.

– On ne parlait pas de toi, on parlait de cette enfant qui va monter se coucher *molto presto*, gronda-t-il avec le parfait accent italien qui lui avait permis, à ses débuts, de tourner dans plusieurs fameux longs métrages transalpins.

Anna nous traîna en hâte vers notre chambre. Comme je protestais, réclamant à toute force Abdul pour nous border, Ambre nous accompagna à l'étage en nous interdisant de dire des bêtises. Puis, quand notre nurse entreprit de nous abrutir avec l'ixième récit de la princesse au petit pois, je l'informai sans ménagement que nous ne croyions plus à ces sornettes – mot que j'avais appris dans un *Mickey* –, et que nous leur préférions de loin les faits divers de Madame Éva. Anna retint ses larmes, et Ambre affirma qu'il fallait beaucoup, beaucoup, beaucoup aimer les enfants, sans quoi on ne pouvait pas les supporter.

13

Si Ambre et Virginia avaient été les meilleures amies du monde au lycée, le mariage de la première avec le père de la seconde avait un peu douché ce beau sentiment. Notre demi-sœur avait pris le meilleur de sa mère et de son père – crinière rousse, regard émeraude, teint crémeux pailleté de son. Comme Ambre, Virginia avait presque trente-cinq ans à notre arrivée. Et elle nous considérait, mon frère et moi, comme des objets dont on ne sait quoi penser – s'il faut admettre qu'ils ne sont au fond pas si moches ou s'il faut, à l'inverse, reporter sur eux toute la vindicte que nous inspire leur propriétaire.

Notre demi-sœur s'était faite à l'idée qu'elle ne réintégrerait jamais sa place de princesse. Mais elle escomptait de son abnégation un dédommagement liquide. Sur les réseaux sociaux, Ambre félicitait souvent Serge de contribuer au bonheur de son aînée : elle souhaitait qu'il prenne soin d'elle afin que la joie rayonne au château et au-delà. Mais, dans l'intimité, son discours s'infléchissait légèrement. Ambre se réjouissait toujours que Virginia se porte à merveille, parfaitement remise des excès qui l'avaient conduite à se retrouver en piteuse posture sur la couverture des magazines. Serge l'avait beaucoup aidée à remonter la pente, soulignait notre mère. Il se montrait toujours prêt à la soutenir dans ses choix artistiques, maintenant qu'elle était chanteuse, ou matériels, depuis qu'elle vivait à Los Angeles et qu'il avait fallu augmenter son allocation mensuelle afin de pourvoir à tous les frais qu'elle faisait sur Rodeo Drive. Oui, quand bien même notre demi-sœur n'exprimerait pas une gratitude proportionnelle à ce soutien – par exemple en instruisant la presse des excellentes relations qu'elle entretenait avec sa famille, au lieu de confirmer par omission les rumeurs selon lesquelles des tensions persisteraient depuis le remariage de Serge Langlois –, quand bien même Virginia ne se hisserait pas toujours à la hauteur de l'exceptionnelle générosité dont elle bénéficiait, il demeurait stoïque, indéfectible champion de son aînée.

Notre voisine Sophie, qui restait maintenant à l'apéritif, approuvait vigoureusement. Puis, quand Serge avait le dos tourné, elle rappelait que les tentatives de carrière américaine se soldaient en général par de cuisants échecs. À l'en croire, Virginia ne tarderait pas à rentrer au bercail.

En dépit de son assiduité au château, Sophie ne réalisait aucun progrès notable avec Abdul. Elle avait beau se défaire de ses kilos comme de pelures accumulées au fil des grossesses, notre coach s'en tenait envers elle à un professionnalisme louangeur, et il lui administrait de ces compliments génériques qui témoignent qu'on n'a nullement l'intention de pousser l'affaire. Volant au secours de son amie, Ambre interrogea le jeune homme sur sa vie amoureuse. Abdul avait récemment rompu avec sa petite amie, confia-t-il. Aminata était belle, dotée d'un fort caractère : elle n'avait pas supporté qu'il la délaisse au profit de Virginia. Or il n'y avait jamais eu, entre elle et lui, la moindre ambiguïté, insista notre coach. Ambre n'éprouvait pas l'ombre d'un doute à ce sujet. Elle connaissait Virginia. Elle savait que les Abdul n'entraient pas dans ses plans de campagne. Quoi qu'il en soit, le jeune homme n'avait pas trop souffert de sa rupture. Il conservait des liens d'amitié au Blanc-Mesnil, prenait des nouvelles, offrait des cadeaux pour l'anniversaire de ses potes.

— On pourrait les inviter, bâilla notre intendante, que cette conversation ennuyait.

— Trop bien, applaudis-je.

– Oh oui, ce serait drôle, enchérit notre voisine, qui espérait toujours circonvenir Abdul à l'usure.

Le jeune homme dansait d'un pied sur l'autre. Il aimait l'idée de faire connaître à ses amis nos splendeurs et nos luxes. Mais un tel enthousiasme de notre part éveillait dans sa nature placide un zeste de soupçon.

– Je sais ce que c'est de venir d'en bas, prononça Serge d'une voix grave. Je n'ai pas renié mes origines, il n'est pas question qu'un membre de notre tribu ait à rougir des siennes.

Dès lors, Abdul n'opposa plus de résistance. Une invitation fut lancée pour le week-end suivant. Hélène se plaignit que la date ne lui laissait pas le temps de s'organiser, mais Ambre la rassura aussitôt : ce serait à la bonne franquette, inutile de mettre les petits plats dans les grands. Par provocation, notre intendante suggéra qu'on pourrait se fournir chez Picard. Il y avait une succursale à Vélizy, expliqua-t-elle à Serge, qui l'interrogeait sur ce traiteur de lui inconnu. Notre père hésitait. Il craignait que l'enseigne soit familière de nos hôtes, et il voulait leur offrir une journée vraiment spéciale.

– Les pains surprise sont excellents, fit valoir Madame Éva, qui avait eu avec son mari Charles une vie plus ordinaire avant celle de château. Ce sont des gros pains ronds découpés en triangles, développa-t-elle, voyant qu'on s'intéressait. Vous en extrayez des petits sandwiches au jambon, au fromage, au saumon, c'est très amusant, conclut notre intendante, qui ne s'amusait jamais.

– Il faudra retirer le jambon, réfléchit Ambre tout haut.

Comme mon frère et moi protestions par amour de cette viande, notre mère nous répondit que c'était par égard pour Allah. Nous n'avions pas connaissance de cet individu. Questionnée, Madame Éva eut un haussement d'épaules. Dans certains pays, expliqua-t-elle néanmoins, on coupait la tête de ceux qui ne lui prêtaient pas suffisamment allégeance. Frissonnant de plaisir et d'effroi, mon frère et moi avions hâte d'être à la fête.

14

Le samedi suivant, Julien dressa un chapiteau près de la piscine, des guéridons couverts de nappes blanches, et sa femme Hélène décora les tables de ballons multicolores. Sur le buffet, les pains surprise voisinaient avec des bouchées aux légumes, des feuilletés au fromage.

Comme le château était inaccessible par les transports en commun, Ralph fit plusieurs allers-retours dans le Hummer pour acheminer nos invités depuis la gare. Ils arrivèrent au compte-gouttes, accueillis par Abdul devant la grille. Son ami Brahim se présenta le premier, en compagnie d'une pâle jeune femme prénommée Cendrine et d'un garçonnet turbulent. Ambre m'ordonna aussitôt de m'occuper du jeune Marvin. Mon frère s'était déjà enfui près des poulains et je guidai ce congénère, mon âge environ mais formidablement dissipé, vers l'enclos. Puis je tournai les talons dès qu'il entreprit de jeter du gravier aux poulains.

Les invités déambulaient sur la pelouse. Leur démarche hésitait sous leurs amples shorts, leurs chaînes au cou épaisses comme des poings. Enfin parurent la belle Aminata, dans une robe noire à volant mauve serrée à la taille par un ruban de la même couleur, et son ami Mathias. Le couple s'arrêta au bord de la piscine. Sourcils froncés, Mathias décréta que c'était gentil, chez nous, et la fête put commencer.

On s'introduisit dans la piscine aux carreaux céladon. On pataugea en admirant la forme des topiaires. On s'étendit au pied des as en mastiquant des petits sandwiches. Assise sur la première marche du bassin, Ambre blaguait avec nos hôtes comme si elle les connaissait depuis toujours en prenant des selfies. Sophie ne possédait pas l'aisance de notre mère. Elle restait muette à son côté. À plusieurs reprises, je vis son œil s'égarer sur la couture des shorts.

Comme Serge offrait à Mathias et Aminata de leur montrer ses voitures, je leur emboîtai le pas en direction des garages. Dans la pénombre rutilaient la tôle azur de la Mustang, le marron glacé de la Bentley, le rouge sang de la Ferrari et, dans un camaïeu d'indigo à noir, l'Aston Martin, la

Lamborghini, la Maserati, la Jaguar et la Porsche. Aminata palpa la carrosserie de la Mustang. Serge lui offrit de s'asseoir au volant. Elle se fit ouvrir la portière, caressa le cercle revêtu de peau. Guidée par notre père, dont l'avant-bras reposait pédagogiquement sur le siège conducteur, elle sortit le véhicule du garage en poussant des petits cris. Je pris la main de Mathias et l'entraînai à l'intérieur du château.

Dans le vestibule, il s'arrêta sous le buste de Serge, fit un tour sur lui-même, pas sûr de ce qu'il faisait ici avec moi. Or j'avais deviné que Mathias me fournirait des informations intéressantes sur le monde au dehors. Je dis :

– Mathias, j'aimerais savoir ce qui se passe à l'extérieur de nos murailles.

Il se pencha vers moi comme le héron s'apprêtant à picorer une brindille et demanda quel âge j'avais pour formuler ainsi mes questions.

– Nous avons sept ans et demi, m'écriai-je avec fierté. Nous lisons depuis deux ans, mais Ambre dit qu'il ne faut pas donner l'impression que nous nous sentons supérieurs.

Sans davantage répondre à ma question, Mathias voulut savoir pourquoi je disais nous. Je lui parlai de mon frère Ory, qu'il n'avait pas vu s'enfuir près des poulains. Mathias opina et demanda si je connaissais les Gilets jaunes. Bien sûr que je les connaissais. À la télévision, nous les avions vus incendier les Champs-Élysées, s'en prendre aux commerces, braver les forces de l'ordre. Mathias corrigea. Si l'avenue prenait feu, les torts se situaient, de son point de vue, entièrement de l'autre côté.

— Toutes les petites filles ne naissent pas dans des châteaux, souligna-t-il d'un air mécontent.

J'objectai que je n'étais pas née dans un château. On ne savait pas précisément où j'étais née. Ambre nous avait adoptés dans un orphelinat d'Asie centrale pour nous offrir une vie meilleure. Mathias bafouilla des circonvolutions. Je lui dis de ne pas se fatiguer. Nous avions l'habitude des maladresses des enfants de l'école, elles ne changeaient rien à l'orphelinat d'Asie centrale. J'allais l'interroger plus avant sur les Gilets quand je fus interrompue par un éclat dans le bureau de Madame Éva.

Du verre venait de se briser. Or je connaissais chaque objet de cette pièce carrée, dépourvue de meubles à l'exception d'un bureau en bois, d'un siège assorti, et aucun n'était en verre. J'indiquai à Mathias de se taire, avançai vers le bureau à pas de loup et tournai lentement la poignée, en prenant garde de ne pas faire grincer la porte. Mathias m'observait avec indignation. Ce n'était pas beau d'espionner, encore moins chez une petite fille, chuchota-t-il en battant la mesure d'un index réprobateur : si j'avais été sous sa responsabilité, il m'aurait appris ces bonnes manières que la vie de château n'enseignait apparemment pas.

Un silence de plomb régnait dans le bureau. On entendait à peine les rires en provenance de la pelouse aux as. J'étais pourtant certaine qu'il y avait des gens dans la pièce, au moins deux, comme si leurs souffles transperçaient la porte, perforaient la matière pour m'alerter d'une chose informe dont il fallait absolument que je prenne connaissance.

Tordant le cou autour du chambranle, j'aperçus Madame Éva dos à la fenêtre, des bris de cristal humides à ses pieds. Elle fixait quelqu'un dans l'angle mort de la pièce. Un tressautement zébra son visage, et je compris qu'elle m'invitait à entrer, à me présenter au grand jour pour connaître la personne qu'elle contemplait avec un tel air d'épouvante.

Je pénétrai dans le bureau, Mathias sur mes talons. Négligemment appuyée contre le mur se tenait une de ces jeunes femmes pâles auxquelles les mères confient leurs enfants les yeux fermés – nurses, institutrices, instructrices de poney.

– Salut Cendrine, s'écria Mathias, t'es pas dans la piscine ?

Or il était évident que ladite Cendrine n'avait

aucune intention de mettre le pied dans l'eau. Elle n'avait pas quitté son jogging, d'ailleurs elle n'avait même pas emporté de maillot. Cendrine, de son propre aveu, était allée faire un tour en cuisine, où elle s'était servi un verre de blanc. Puis elle avait déambulé dans le grand salon, testé le Louis XVI, navigué dans le vestibule. Elle s'apprêtait à gravir l'escalier quand elle avait aperçu notre intendante dans son bureau. Histoire de sympathiser, elle lui avait apporté un verre de vin, mais cette dernière l'avait fait tomber, quelle maladroite.

– Super vue, conclut Cendrine en fixant la cour où Aminata faisait des ronds au volant de la Mustang.

Mathias ne voulut pas s'attarder sur ce spectacle. Il entraîna Cendrine vers la sortie, et tous deux s'éloignèrent dans le couloir.

Des bouts de verre mouillés brillaient sur les grosses chaussures de Madame Éva. Je voulus l'aider à ramasser, mais elle me l'interdit par crainte que je me blesse. Elle regardait sans fin ses souliers, esquissant des gestes avec les doigts et incapable de bouger le moindre orteil, comme si la potion de liquide et de cristal à ses pieds était dotée de pouvoirs occultes et qu'elle la clouait au sol au-delà de ses strictes propriétés physiques.

Dans la cour, Aminata coupa le contact. Elle avait la flemme de rentrer la voiture au garage, annonça-t-elle en s'extirpant de la Mustang. Serge descendit à son tour, hésitant à faire la manœuvre ou à poursuivre la jeune femme dans le parc. Je me précipitai à la fenêtre pour lui crier de nous venir en aide. Mon cri brisa le sortilège qui retenait Madame Éva prisonnière. Notre intendante leva pesamment un pied après l'autre, agita les chevilles pour les débarrasser des éclats et s'approcha de la fenêtre.

– Tout va bien, monsieur Langlois. Verrouillez les armoires, les coffres-forts, les garages, et tout ira toujours bien.

15

Même si elle ne réussit pas à se rapprocher d'Abdul, Sophie de Mézieux n'eut pas à se plaindre de la fête. En fin d'après-midi, pendant que Ralph reconduisait nos invités à la gare, Ambre sortit le champagne. Le vent du soir caressait les ifs, et je frissonnai en la voyant écluser des flûtes avec son amie sur la première marche de la piscine. Sophie n'avait pas l'air en forme. Prostrée sur ses tongs, elle s'épluchait les cuticules des orteils. Ambre s'inquiéta pour son vernis, mais Sophie répondit À quoi bon, plus personne ne lui chatouillerait la plante des pieds sauf son mari s'il s'avisait un jour de procréer à nouveau. Ambre passa le bras autour de ses épaules. C'était le sort des épouses de courber l'échine pour préserver la paix du foyer, consola-t-elle, et Sophie éclata en sanglots.

Ralph avait fini de raccompagner les invités.

Comme il demandait s'il pouvait encore se rendre utile, Sophie leva vers lui son visage trempé d'eau. Elle était trop saoule pour conduire, il n'aurait qu'à la déposer devant sa grille. Ambre trouva l'idée excellente. Le manoir des Mézieux avait beau n'être qu'à cinq cents mètres, il n'aurait pas été prudent de laisser Sophie parcourir le chemin seule à la nuit tombée. Elle serait bien plus en sécurité avec Ralph dans la Lamborghini, un véhicule confortable, pourvu de toutes les options nécessaires pour se remettre d'une longue après-midi de défaites.

Le lundi suivant, les leçons de yoga reprirent comme à l'accoutumée. Sophie exécuta ses postures avec obéissance, mais une langueur soudaine commandait à ses mouvements, et elle ne se préoccupait plus tant de l'opinion d'Abdul. Puis elle refusa l'apéritif et prit une douche avant de se faire raccompagner par notre chauffeur.

À vingt ans, Ralph avait joué les troisièmes ou quatrièmes couteaux dans les films policiers qui avaient offert à Serge un deuxième souffle. Le jeune homme avait peu de talent pour le drame, encore moins pour la comédie. Mais il avait l'allure du couteau – profil fin, nez en lame. Les petits rôles s'étaient enchaînés. Puis il avait considéré les efforts nécessaires pour durer, le caractère aléatoire du succès, et il avait accepté avec gratitude le poste de chauffeur que lui proposait Serge. Notre père s'était pris d'affection pour ce garçon taciturne, capable de le suivre toute la nuit dans les tripots. Ralph restait près de lui quand l'alcool révélait les fureurs contenues à la table de jeu et que la célébrité ne suffisait plus à faire barrage. Ses yeux sans fond, son pas disloqué intimidaient rapidement l'adversaire. Ralph ne disait rien. Il n'avait même pas l'air spécialement intéressé quand Serge déblatérait sur l'époque et les femmes. Il était une présence, un chien, un couteau.

Quand Serge avait rencontré Ambre, celle-ci n'avait pas fait de difficulté pour le garder à leur service. Le jeune homme rassurait son mari. Il représenterait même un atout indispensable dans le combat qu'elle mènerait, les années suivantes, contre les Jack, Daniel's et Black. Ralph n'aimait pas que notre père boive trop. Il revoyait alors le sien, toujours triste. Or il voulait un père gai, un père puissant.

Au volant, Ralph était pleinement heureux. Il jubilait de posséder un jouet inaccessible. C'était un bénéfice secondaire que les femmes le remarquent aux commandes des automobiles. Son profil assassin masqué par des lunettes aviateur, mains à deux heures moins le quart, genoux souplement écartés pour actionner les pédales, il déployait une séduction inaperçue hors des habitacles.

Grâce à notre chauffeur, Sophie se portait donc de mieux en mieux. À l'inverse, notre nurse Anna pleurait sans arrêt. Ambre s'irritait de la voir toujours les yeux rouges, et elle lui reprochait de nous montrer le mauvais exemple, à nous qui ne manifestions pas toujours l'heureux tempérament qu'elle souhaitait. Notre nurse prit ainsi l'habitude de s'enfuir dès qu'elle sentait monter les larmes. Quelques minutes plus tard, mon frère et moi la retrouvions près du temple de Diane, qui pleurait une cascade à peine plus lourde que les yeux d'Anna. Sous l'avalanche de nos questions, celle-ci nous envoyait jouer au loin.

Éconduite par notre nurse, je m'approchai de la piscine. Je n'avais pas encore l'âge de me baigner seule. Tout en épiant les bruits venus du château, je me mis en culotte. Puis, comme personne n'arrivait, je suivis mon frère dans l'eau, fis la planche. Les corneilles tournoyaient entre les as, sous les nuages sans cesse recomposés en pieuvres, en serpents, en griffons. Je me retournai sur le ventre, parcourus sans difficulté la largeur du bassin, envisageai de réussir pour la première fois une longueur. Cette perspective me fatigua d'avance, et je décidai de me noyer.

Il s'agissait de tenir sous l'eau le plus longtemps possible. Je fis quelques essais peu concluants avant de m'améliorer en découvrant qu'il suffisait de vider l'air de ma poitrine pour rester au fond. J'étais très satisfaite de moi, assise en tailleur sur la dernière marche de la piscine, quand Julien accourut en hurlant. La pogne de notre jardinier m'attrapa par les cheveux, puis sa personne tout habillée descendit dans le bassin pour m'extirper de l'eau. Ambre se précipitait déjà, Serge derrière elle. On s'assura que j'étais en vie, on me frictionna le dos, on me câlina plus que de raison, et notre père alla dire deux mots à Anna.

C'était un premier et un dernier avertissement, tonna Serge, qui détestait renvoyer les employés. Ambre tapa du pied en répétant qu'elle voulait de la joie dans sa maison, Hélène branla du chef en faisant tss tss, et Madame Éva chassa le bichon qui lui tournicotait dans les jambes. Notre nurse essuya l'orage, pleura un bon coup, et jura qu'on ne la reprendrait pas en défaut. De fait, elle ne versa plus une larme avant de ficher définitivement le camp un mois plus tard.

16

Chez nous, les bichons mourraient les uns après les autres. Ils attrapaient les maladies bizarres de l'époque, nourris aux croquettes de zèbre et maïs OGM. Ambre inconsolable les remplaçait sitôt trépassés. Trois jours après la mort du chien, un autre avait pris sa place, à la ressemblance si frappante qu'on se méprenait tous – Serge surtout, qui continuait, des mois plus tard, à appeler l'animal du nom de son prédécesseur.

À Guitry avaient donc succédé Jouvet puis Simon, Darc et Darrieux. Mais, le matin où Biniou était arrivé, Serge était trop fatigué pour quitter sa chambre, et c'est Ambre qui avait baptisé le chiot. Notre mère n'aimait pas spécialement la cornemuse. Elle trouvait juste le mot drôle. Savait-elle seulement qu'il désignait un instrument de musique ? Nous étions trop occupés par les choses pour nous interroger sur leur nom.

Comme tous les autres bichons avant lui, Biniou s'éloignait sans cesse pour reparaître, la queue basse, quand nous nous étions suffisamment cassé la voix à l'appeler. Il fouillait la terre, les racines. Trois semaines après ma tentative de noyade, il déterra une chose vieille et sale. C'était là où finissaient les massifs, les tonnelles, à la lisière du parc et de la forêt. Mon frère et moi jouions près des as quand le chien rapporta son butin en jappant. Ory déposa sa pelle en plastique et je recueillis la chose dans mon seau. Bien sûr, nous avions déjà vu des parties animales. Mais celles des bêtes que cuisinait Hélène avaient été soigneusement apprêtées par le boucher, dépourvues de poils, plumes ou terre. Nous hésitions à prendre peur quand Madame Éva s'enquit de notre trouvaille. Les étagères de sa mémoire étaient parfaitement rangées. Elle se souvint aussitôt qu'au milieu du siècle dernier, dans un quartier populaire de Londres, on découvrit qu'un fémur soutenait une barrière brinquebalante. Il avait été ôté à sa propriétaire par un dénommé John Christie, mais la police se révéla incapable d'identifier la défunte, tant furent nombreuses les victimes du tueur en série.

Nos cris d'épouvante interrompirent notre mère dans la posture du cobra. Elle se redressa sur son tapis de sol pour demander à Madame Éva ce qui lui prenait de raconter des histoires pareilles à des enfants. Notre intendante haussa les épaules et poursuivit son chemin vers le pavillon de chasse. Ne sachant que faire, Ambre alla trouver Ralph.

Le chauffeur briquait la Bentley dans la cour. Sans s'émouvoir outre mesure, il examina notre trouvaille et déclara que c'était une patte de lapin. Puis il la jeta dans la boîte à gants et se remit à frotter. Je criai à l'injustice, exigeant qu'on me rende mon trophée. Mais Ambre s'irrita de cette curiosité macabre. Qu'avais-je besoin d'un vieux bout de squelette quand j'avais à ma disposition tant de beaux objets ?

Lorsque Ralph nous conduisit à l'école le lendemain, j'en profitai pour fouiller la boîte à gants. La patte de lapin avait disparu. Je dépensai une énergie furieuse à la retrouver. Comme Anna ne nous lâchait plus d'une semelle de peur que je me noie, il fallut déjouer sa surveillance. Dès qu'elle avait les yeux ailleurs, je fouinais dans les armoires, redressais les piles, replaçais les soucoupes au centre de la poussière sans laisser la moindre trace de doigt. Avec mon frère, je visitai sans succès le grand et le petit salon, la cuisine, et même le bureau de Madame Éva, qui tourna obligeamment le dos pour nous laisser mener à bien notre raid.

Anna nous croyait une fois de plus occupés à ce

penchant pervers qui nous faisait préférer la lecture à toute chose quand j'entraînai mon frère dans l'attique. Après l'escalier monumental qui desservait notre chambre et les appartements de nos parents, un colimaçon étroit menait à un sombre couloir flanqué de portes. C'étaient, successivement, les logements d'Anna, Abdul, Hélène et Julien. Puis le couloir faisait un coude et aboutissait chez Ralph.

Des petits cris nous alertèrent à l'approche de cette chambre. C'étaient des couinements aigus. On n'avait pas l'impression que l'animal souffrait ou qu'il avait peur. Au contraire, il semblait manifester une forme de contentement. Effrayé par ces sons inconnus, mon frère voulut redescendre à toutes jambes. Moi j'hésitai. La serrure était en forme d'ample sablier. J'approchai pour voir. Après le petit tunnel creusé dans l'épaisseur de la porte, je discernai un vaste pan de matelas et, sur celui-ci, notre nurse dans la posture du chien, reconnaissable bien que de dos à son jogging, pour l'heure abaissé au niveau des chevilles. De dos également, notre chauffeur s'affairait entre les jarrets d'Anna. Sa chemise lui couvrait les fesses, mais il avait perdu son pantalon, de telle sorte que j'aperçus pour la première fois ses mollets tors, désaxés par une maladie infantile. Je ne distinguai pas ce qui intéressait tant notre chauffeur au milieu d'Anna. Mais cela devait valoir la peine car il se cramponnait à sa prise en psalmodiant une espèce de prière.

Deux minutes plus tard, nous déboulions au milieu de l'apéritif en poussant des hauts cris. Serge suspendit le récit qu'il faisait à Abdul de ses rapports avec Alain Delon, un rival et un frère depuis plus de quarante ans, et Ambre retint la flûte qu'elle offrait à Sophie. On mit de l'ordre dans nos explications. On envisagea de nous gronder pour avoir échappé à la surveillance de notre nurse. On estima qu'il y avait plus urgent. En dépit de nos descriptions vivaces, personne ne s'appesantit sur l'horrifique nudité de Ralph. On retenait seulement qu'Anna se trouvait dans sa chambre, et cela en posture peu habituelle hors des tapis de yoga. Les hommes manifestèrent leur surprise, les femmes leur réprobation. Sophie blêmit, saisit la flûte que lui tendait Ambre et la lança contre la cheminée. Notre mère, qui rejetait la violence sous toutes ses formes, approuva ce geste avec chaleur. Serge et Abdul essayèrent en vain de tempérer. Le lendemain à la première heure, Anna échouait sur le quai du RER, lestée d'un chèque assez lourd pour garantir que jamais elle ne se retournerait contre ses anciens employeurs.

17

S'ensuivit une brève période où Hélène et Madame Éva se relayèrent pour nous surveiller dans les intervalles de leurs activités respectives. Occupées à leurs tâches, ces deux-là ne mettaient pas tant de zèle à contrôler nos lectures, à mesurer notre joie. Mais Ambre craignait de faillir dans sa mission éducative. Elle chercha des recommandations au haras. Les autres mères eurent des hochements désolés. Les nurses irréprochables ne se trouvaient pas sous le sabot d'un cheval. De toutes parts on se plaignait d'employées malhabiles, méchantes ou simplement paresseuses, quand ce n'étaient pas leurs mœurs qui laissaient à désirer. On ne comptait plus les maris corrompus par des sirènes à peine nubiles, introduites dans le foyer par des mères trop confiantes. À peine avaient-elles fait la conquête des enfants qu'elles s'attaquaient à leur géniteur, et bientôt elles avaient supplanté l'épouse légitime dans le lit conjugal et sur l'assurance-vie.

Ambre désespérait de trouver une solution quand Abdul, par miracle, la tira de ce mauvais pas. Notre coach glissa d'une voix hésitante qu'il connaissait une jeune femme travailleuse, responsable et peu soucieuse de son pouvoir d'attraction. D'ailleurs nous la connaissions aussi. Se souvenait-on de Cendrine Barou ? Elle était venue à notre *pool party* avec son fils Marvin, mon âge à peu près. Nos parents se creusèrent la cervelle. Ils se rappelaient l'affolante Aminata, son ami Mathias, mais ils avaient effacé la pâle Cendrine de leur mémoire. Cela parut d'excellent augure à Ambre.

Madame Éva, qui gardait le silence depuis le début de l'apéritif, s'étrangla sur une noix de cajou. Elle toussa que personne ne connaissait cette femme. Celle-ci n'avait sans doute aucune qualification pour le poste, et on l'avait même surprise, pendant la fête, à fureter dans les coins. Serge réclama des explications, mais Ambre tapa de sa ballerine sur la table basse en onyx. Depuis quand notre intendante était-elle experte en éducation ? Et puis il fallait proposer des solutions, à la fin. Elle en avait assez de ces soupçons qui ombrageaient la joie.

C'est ainsi que, huit jours plus tard, Cendrine débarqua chez nous. Un éclair dut zébrer le ciel, ou était-ce mon imagination qui me fit voir des orages là où il n'y avait que notre nouvelle nurse sur le seuil du château, la poignée de sa grosse valise à roulettes dans une main, la menotte de son fils Marvin dans l'autre ? Ambre les étreignit comme du bon pain et les fit entrer à l'abri du vent. Postés à mi-hauteur de l'escalier, mon frère et moi observions la scène à travers les balustres de la rampe. Comme Anna, Cendrine était douce et pâle. Mais son regard n'était en rien désorienté. Il se posait sur les choses avec une intense acuité, comme si elles avaient déjà commencé d'entrer en sa possession.

Notre nouvelle nurse s'avança à petits pas mouillés. Ses baskets faisaient floc floc sur le dallage, celles de Marvin dessinaient des ronds furieux autour de la valise.

– Ici, tu as le petit salon, là le grand, la salle à manger, l'intendance, la cuisine, récita Ambre tout en indiquant des portes closes.

Cendrine se garda bien de révéler qu'elle connaissait les lieux pour s'être baladée dans tout le rez-de-jardin pendant la fête. Elle s'informa seulement de l'heure de l'apéritif, prévenue par Abdul que c'était le rassemblement de notre tribu.

– Six heures et demie, répondit Ambre sans

93

réfléchir qu'elle n'avait pas eu le temps de l'y convier. On a avancé l'heure, Serge est fatigué en ce moment.

Puis elle fournit à Cendrine notre emploi du temps, les horaires de l'école, du cours d'équitation, des jeux dans le parc. Sauf en cas de pluies torrentielles, il nous était interdit de lire : nous étions bien trop jeunes pour nous abîmer les yeux sur des pages imprimées. Cendrine admira le lustre immense, les pampilles ruisselant de lumière sur le dallage crème. Puis elle s'arrêta sous le buste de Serge.

— La classe, estima-t-elle en levant le bras vers la mâchoire de bronze.

Ambre sourit. C'était normal d'être épatée la première fois qu'on entrait dans un château. Elle-même avait grandi dans des villas beaucoup plus modestes, à Saint-Tropez, à la Martinique. Elle convoquait souvent ses souvenirs de jeunesse pour se rappeler le sort des moins fortunés.

— C'est super important de pas se déconnecter, expliqua-t-elle à Cendrine pour l'inciter à adopter nos principes, maintenant qu'elle faisait partie de la famille.

— Faut savoir rester simple, opina cette dernière, avant d'ajouter :

— Moi, mon fils, c'est le plus beau cadeau de la vie.

Et elle adressa une pichenette à Marvin, qui s'escrimait à déboulonner le moniteur de la caméra de surveillance. Ambre saisit les mains de notre nouvelle nurse et répéta qu'elle était ravie de les accueillir, elle et son fiston. Cendrine avait la tête bien plantée sur les épaules, les pieds sur terre : elles allaient s'entendre, toutes les deux. Puis elle les conduisit vers l'escalier pour leur montrer leur chambre. Comme le petit groupe atteignait le palier, je leur filai entre les jambes, entraînant mon frère dans le parc.

L'orage avait cessé. Le vent s'était rabattu vers la forêt, on l'entendait froufrouter parmi les mélèzes. Je fis quelques pas en direction de la piscine et aperçus notre intendante, qui était sortie prendre le frais. Elle se tenait près des ifs et tâtait leurs branches d'un air dégoûté.

Madame Éva ignora nos questions sur l'arrivée de Cendrine, de son fils affreux, et sur ce qu'il adviendrait de nous par voie de conséquence. Elle se contenta d'arracher un rameau encore humide pour nous le montrer. Sur le vernis persistant clopinaient des insectes aux longues pattes vertes, aux larges ailes transparentes.

– Les sauterelles ont débarqué, grommela-t-elle avant de faire demi-tour vers le pavillon de chasse.

18

Comme elle avait été, au U du Blanc-Mesnil, une caissière irréprochable, Cendrine se fondit dans l'ambiance du château avec une aisance rare. Elle commença par inspecter notre chambre. Pour contrer l'ombre menaçante des grands arbres, notre mère avait peuplé les moindres recoins de jouets inutiles. Mon frère et moi avions notre dose des machins en plastique. Notre problème, c'était les bouquins. Nous les planquions derrière les commodes, au fond des tiroirs, sous les draps, prêts à les dégainer à la lueur de nos smartphones.

Ambre nous avait offert ces appareils afin que nous puissions suivre son compte Instagram. Cendrine s'empara de mon téléphone, consulta les derniers posts. Sur une vidéo récente, on nous voyait faire de la pâtisserie avec Hélène. D'un air appliqué, nous démoulions un gros gâteau au chocolat, que nous décorions de l'inscription « Papa je t'aime » avant de l'apporter à Serge, qui bâillait d'ennui au grand salon. Ravi de la surprise, notre père manifestait une joie bruyante. La vidéo s'arrêtait à l'instant où il claquait un gros bisou sur ma joue rebondie. Sept cent mille personnes avaient liké cette publication. On s'émerveillait que des célébrités s'adonnent aux joies simples de l'existence. On n'avait pas d'émoticônes assez fortes pour exprimer son contentement devant un tel transport d'amour paternel – qui plus est non biologique, précisaient certains.

— Il était bon, le gâteau ? m'interrogea Cendrine.

— On l'a pas mangé, répondis-je. On aime pas le chocolat et Serge a pas le droit à cause de la tension.

— Ton papa est malade ? s'intéressa-t-elle.

— Notre père est vieux, rectifiai-je sur un ton pointu car, si nous appelions Serge par son prénom, ce n'était pas pour que tout un chacun bêtifie à notre place.

Cendrine me rendit le téléphone et souleva mon oreiller. J'avais caché mon *Mary Poppins* sous le coussin. Cet ouvrage avait été obtenu de haute lutte, Ambre ayant prétendu, pour me décourager de l'entreprendre, qu'on en avait tiré un film super bien. Cendrine feuilleta les pages illustrées. Je lui fis remarquer que la gouvernante de P. L. Travers avait beaucoup de style avec son parapluie à manche recourbé, sa robe en ogive, son sac en tapisserie, et je laissai planer un regard dubitatif sur le jogging de notre nouvelle nurse.

– Ça veut dire quoi ogive ? s'enquit-elle, imperméable à mes sous-entendus.

J'allais la renseigner sur les caractéristiques respectives du roman et du gothique, auxquelles nous avaient initiés les *Contes et légendes du Moyen Âge* procurés sous le manteau par Madame Éva, quand Cendrine se désintéressa de la question.

– Moi, je m'en fiche que tu lises des bouquins, dévia-t-elle en cornant la couverture de mon *Mary Poppins* avec son pouce. Mais je veux pas que ta maman soit triste. Alors dis-moi : comment qu'on va faire pour que tout le monde soit content ? se turlupina-t-elle en interrogeant les corniches, un index dodu croché sur le menton.

Je ne comprenais pas où elle voulait en venir. Perplexe, je me tournai vers mon frère. Ory fixait la fenêtre derrière laquelle s'ébattaient les poulains. Quelque chose chez Cendrine l'indisposait – une attitude impossible à définir, car dès la première seconde nous avons su qu'elle n'attenterait pas à nos corps, et qu'en dépit de tous ses manquements intellectuels, c'était sur nos esprits qu'elle jetterait l'assaut. Comme mon frère ne m'était d'aucun secours, je reportai les yeux vers elle. Notre nurse m'enveloppait d'un sourire tout en dents.

– Hein, comment qu'on va s'y prendre pour que tout le monde soit content ? répéta-t-elle.

– On va pas le dire, répondit ma voix avant que j'y consente.

– C'est ça, s'exclama-t-elle. Tu vas lire tranquillement tes bouquins, et on va pas en parler à ta maman. Ni à Marvin, ajouta-t-elle. Y sait pas tenir un secret, mon Marvin. Mais ch'uis sûre que toi t'es cap', pas vrai ?

J'opinai parce qu'il n'était pas question qu'on me mette dans le même sac que son Marvin. Puis Cendrine voulut négocier.

– Tu l'aimes pas mon garçon, hein ? Pas la peine de protester, je sais qu'il est pas facile. C'est qu'il a pas son papa. Alors que toi, t'as le papa que tout le monde voudrait avoir. Tu connais pas ta chance, Joséphine, conclut-elle en me rendant mon *Mary Poppins*.

Ma part du marché consistait donc à intégrer dans nos existences le jeune Marvin. On ne pouvait pas dire qu'il soit idiot, mais il turbulait comme une toupie. C'était même drôle, estimait Cendrine, parce que, quand le garçon était bébé, elle lui avait offert un petit labrador nommé Toupie. Mais le chiot avait disparu avant que Marvin soit en âge de parler. C'est p'têt pour ça qu'y fait

99

toupie, supposait Cendrine, qui devinait d'instinct ce que d'autres passent une vie à découvrir.

Il m'apparut rétrospectivement qu'à ce point, tous les troubles à venir étaient déjà présents dans le cadre. Mais les événements prenaient corps à l'écart des lignes de fuite, du point de convergence ostensiblement figuré par nos parents. Ils se développaient dans les recoins du paysage, entre les branches des ifs, les rondes des corneilles, sous la cascade de Diane. À sept ans et demi, rien de ce qui se tramait au château ne me demeurait caché. Ma raison traversait les murs, traversait les crânes. Elle me révélait l'un après l'autre les trafics élaborés à l'abri des regards. Mais je vivais à l'intérieur de l'image. J'étais incapable de saisir l'importance relative de chaque plan, le véritable centre du tableau.

19

À son dernier anniversaire, Serge avait eu soixante-neuf ans. On s'interrogeait déjà sur les festivités qui célébreraient le prochain à sa juste mesure. La Cinémathèque française avait programmé une rétrospective de ses films, une palme d'honneur lui serait décernée au Festival de Cannes. Côté ministère de la Culture, on était bien en peine d'imaginer quoi que ce soit. Notre père était déjà commandeur des Arts et des Lettres, il avait été distingué par la Légion d'honneur, l'ordre national du Mérite. On n'avait plus tellement de médailles à suspendre au revers de ses vestes en velours. Mais Serge ne chérissait pas tant les breloques. Il en avait reçu son content avant ses rivaux et n'avait pas connu le dépit de compter à leur boutonnière toutes les décorations qui lui manquaient. Pourtant il ne serait pas correct, s'impatientait

Ambre, de ne rien recevoir de la nation quand tant d'autres de moindre envergure bénéficiaient, chaque année aux césars, de bruyants tributs scandaleusement disproportionnés.

Une soirée à l'Élysée, ce serait cool, émit Cendrine à l'apéritif.

Ambre soupesa cette proposition. Serge n'avait jamais soutenu publiquement le président. Il restait attaché à l'un de ses prédécesseurs, récemment décédé. Mais un certain conservatisme intellectuel, une pensée tournée vers l'élévation au mérite, suggéraient qu'un rapprochement avec l'actuel occupant du palais ne serait pas impossible. De son côté, le président était la cible de griefs de plus en plus soutenus. On l'accusait d'attiser la crise sociale en réprimant par la force les Gilets jaunes. L'opinion, qui s'était d'abord montrée sceptique vis-à-vis du mouvement, s'avouait de plus en plus troublée par le virage autoritaire de l'exécutif. Aussi ne serait-il pas mauvais de renouer avec le peuple en vue des prochaines échéances électorales. Quant à la première dame, elle adorait le spectacle, les artistes, tout le tralala. Elle se désolait que le monde de la culture ait fait la fine bouche à l'intronisation du président, et elle apercevrait dans l'anniversaire de Serge l'occasion de subvertir un membre suréminent de cette caste.

Des tractations furent mises en œuvre par

l'intercession de l'agent Dominique Bernard. Grâce au subtil mélange de décontraction et d'exigence qui caractérisait l'imprésario des stars, les principes de la soirée furent rapidement arrêtés. Sauf contretemps majeur, on festoierait à la date de l'anniversaire. Le service de communication de l'Élysée prit soin d'annoncer que le repas serait financé avec les deniers personnels du président. Sur les chaînes d'information en continu, les commentateurs saluèrent l'initiative. Puis certains firent valoir que Serge Langlois était une figure du patrimoine français et que le peuple aimerait sans doute être associé à la fête. C'était, selon eux, une nouvelle marque de mépris de la part de l'exécutif que de privatiser l'événement. La polémique embêtait beaucoup Serge. Il ne voulait pas que le peuple se déchire à cause de lui, et il aurait volontiers offert de régler lui-même le dîner. Ambre fronça ses fins sourcils. Les autres ne se faisaient pas tant prier pour recevoir des tributs somptuaires, objecta-t-elle, et puis cela froisserait la femme du président.

– Parfaitement, abonda Madame Éva. Et elle rappela qu'on avait fait beaucoup de frais ces derniers temps avec l'expulsion d'Anna. Deux cent mille, c'était quand même cher payer le silence d'une employée tout ce qu'il y avait de plus coupable.

– Comme si c'était ton pognon, gloussa Cendrine.

Notre intendante sursauta d'horreur. Madame Éva tenait au voussoiement. Elle avait insisté sur ce point dès son entrée à notre service. Elle aurait même souhaité qu'on s'adresse à elle par son patronyme, mais nos parents s'étaient récriés que ce n'était pas assez convivial. Hélène avait alors proposé d'accoler son prénom à sa civilité, comme on fait dans les pensions de famille ou les maisons closes. À l'évidence, cette solution n'emballait pas la première concernée. Mais elle n'avait pas les moyens de faire la difficile. Or elle avait beau rappeler cette règle âprement négociée à notre nouvelle nurse, celle-ci persistait à la tutoyer, avec ce mélange de spontanéité et de sans-gêne qu'Ambre trouvait si sympathique, comme si elles avaient autrefois été voisines dans la même banlieue, quelque part en grande couronne.

Comme on ne trouvait toujours pas de solution au problème du dîner, Hélène mit une fois de plus son grain de sel. Pourquoi ne pas laisser payer le président, suggéra notre cuisinière, et on inviterait le peuple à la fête par le truchement d'Instagram ? Ambre cria d'enthousiasme. Jamais on n'avait filmé Alain Delon s'adressant au pays depuis le palais présidentiel. Un nouvel ordre de mission fut aussitôt transmis à l'agent Dominique Bernard. À l'autre bout du fil, celui-ci verbalisa des doutes. Puis, trois jours plus tard, il se présenta au château pour expliquer qu'il ne fallait quand même pas exagérer.

Le projet se heurtait à des obstacles insurmontables, exposa-t-il, ses cuisses potelées engoncées dans un crapaud Louis XVI. Ambre était lovée sur la méridienne. Elle l'observait en fourrageant les poils de Biniou, arrimé à ses cuisses par deux mains fines comme des serres. Sans pouvoir se passer de Dominique Bernard, notre mère se défiait de lui. Elle craignait toujours, avec le nombre de ses relations, qu'il ménage des intérêts concurrents. Aussi, quand l'agent fit valoir des raisons protocolaires et lui représenta qu'on ne pouvait s'inviter à l'Élysée, si célèbre soit-on, en posant tout un tas de conditions, elle lui demanda sèchement ce qu'il proposait pour satisfaire à la fois le peuple et le président.

Dominique Bernard n'avait pour ambition que de satisfaire les artistes, plaida-t-il. Et si le bonheur d'Ambre et Serge passait par une fête nationale, eh bien soit, on trouverait le moyen d'inviter le peuple à la party. Mais on ne pourrait pas instagramer toute la soirée en direct de la présidence. À la place, on filmerait une courte vidéo avec la première dame dans les jardins de l'Élysée. Brigitte serait enchantée de présenter ses petits-enfants à la progéniture de Serge.

– Et Marvin ? interrompis-je, car c'était mon rôle d'intégrer le fils de Cendrine dans nos vies.

– Marvin ne fait pas partie de la famille, coupa notre mère, avant de se rappeler qu'elle prétendait le contraire du matin au soir. Marvin, reprit-elle, est comme ton frère, mais ce n'est pas ton frère. Ton frère, c'est Ory, ajouta nerveusement Ambre, qui d'habitude faisait tout pour que j'oublie mon frère.

Dominique Bernard suivait cet échange avec intérêt. Sans doute amassait-il du grain pour le moudre ensuite avec d'autres artistes, persifla notre mère en se retournant brusquement vers lui. L'agent afficha une mine contrite et enfouit ses pognes sous ses cuisses. Toujours était-il qu'il faudrait se contenter de la rétrospective à la Ciné-mathèque, de la palme d'honneur à Cannes et d'un dîner semi-privé à l'Élysée. Événements que *Paris Match* relaierait avec tout le zèle nécessaire, consola-t-il, et Ambre renifla son accord en chassant Biniou, qui s'enfuit aussitôt dans le parc.

20

Serge n'était pas apparu en public depuis des mois. En plus de la tension, il développait un léger embonpoint. Pourrait-on le convaincre de ralentir sur les lipides ? s'enquit notre médecin de famille. Quant au bourbon, chère madame Langlois, il faudrait pouvoir ne plus y songer.

Notre mère détourna les yeux vers le parc, où Abdul errait comme une âme en peine. Ambre avait perdu le goût du yoga depuis que son amie Sophie avait plongé dans la déprime suite à la trahison de Ralph. Elle n'allait pas jusqu'à lui rendre visite, de crainte que la mélancolie déteigne sur sa joie. Mais elle reportait toute son énergie sur les commémorations pour oublier qu'elle n'avait plus d'amie.

Ambre contemplait Abdul avec rancœur lorsqu'elle eut une idée. Après une brève carrière dans le hip-hop, le jeune homme s'était reconverti sans difficulté en instructeur personnel. Sans doute ne verrait-il pas d'inconvénient à se tourner vers la gym pour seniors. Des petits mouvements réguliers suffiraient à entretenir le cœur de Serge, avait certifié le médecin. Abdul, qui se voyait déjà à la porte du château, s'empressa d'obtempérer. Il se rendit à Vélizy avec Ralph pour faire le plein de rubans, d'élastiques, d'anneaux d'activité, et transforma le petit salon en gymnase. Puis on cajola Serge pour l'attirer dans cette pièce.

Un bourbon à la main, notre père considéra le matériel à ses pieds et fit aussitôt demi-tour. Mais Ambre se tenait derrière lui, munie d'une paire de baskets. Voulait-il plonger dans l'affliction sa femme, sa famille et la nation tout entière par la même occasion ? Serge avait des responsabilités, lui rappela-t-elle en troquant les baskets pour le bourbon. Huit cent mille personnes avaient liké son dernier post – une photo de notre tribu tous pouces levés à l'annonce de la fête élyséenne –, et elle lui mit sous le nez son smartphone. Serge s'attarda sur un coin de la photo.

– Il est quand même bizarre, ce Marvin, releva-t-il en indiquant le garçon pendu aux rideaux derrière notre petit groupe.

Mais Ambre lui ordonna de ne pas changer de sujet. Elle le repoussa à l'intérieur du petit salon et ferma la porte avec un claquement décisif.

Contre toute attente, je m'adaptais plutôt bien à l'addition de Marvin dans nos vies. Le fils de Cendrine était si furieux de nature qu'il concentrait sur lui toute l'attention des adultes. Marvin allait à l'école publique, au village. Même et surtout là, on se plaignait de lui. Marvin n'apprenait rien. Marvin empêchait les autres d'apprendre. Marvin empêchait son institutrice de dormir, épouvantée à l'idée de le retrouver le lendemain, toujours plus inventif à entraîner la classe vers l'apocalypse.

Après avoir vu un reportage sur France 3, Ambre émit l'hypothèse que le «boud'chou» – car le garçon était en effet délicieux, pourvu de toutes les grâces d'un enfant blond et rose du moment qu'il s'immobilisait un instant – souffrait d'hyperactivité. Elle réclama un diagnostic au médecin. Marvin Barou était atteint d'un trouble déficitaire de l'attention, confirma obligeamment ce dernier. Il bénéficierait grandement d'un traitement au métylphénidate, attention à conserver le médicament en lieu sûr, forte contre-indication en cas de troubles cardiovasculaires, d'hypertension, d'insuffisance cardiaque.

Cendrine scruta la boîte de comprimés. Notre nouvelle nurse avait d'ordinaire la main lourde sur les potions. Sirops, pastilles, poudres effervescentes – elle nous les administrait en rasade au moindre dérèglement. Mais elle rechignait soudain à droguer son fils, comme si elle n'était pas certaine de vouloir en finir avec la fureur de Marvin. Ne pourrait-on plutôt l'inscrire à notre cours privé ? Les institutrices y étaient plus compréhensives qu'à l'école publique. Les petites Mézieux, par exemple, dont deux au moins méritaient leur poids en paires de claques, continuaient d'y sévir en toute impunité.

Ambre se rappela son amie Sophie. Elle revit la table mise pour le thé sous la véranda, les buissons de roses, et parmi les fleurs quatre jolies petites filles vêtues de broderies anglaises. Elle songea que Sophie avait été la seule à lui tendre la main quand toutes les autres mères la jugeaient indigne d'intégrer leur cercle. Elle dit d'accord à Cendrine, on va inscrire ton boud'chou au cours privé, il est temps que les autres mères apprennent ce que c'est que la vie.

21

Des frais superflus, c'était, selon notre intendante, tout ce qu'entraîneraient nos tentatives
d'éduquer le jeune Marvin malgré lui. Entre l'exil
américain de notre demi-sœur, l'embauche d'un
coach à domicile et les indemnités de départ de
notre ancienne nurse, on dépensait à tout-va.

Bien sûr, notre famille avait mis son capital
à l'abri. Quelques années plus tôt, nos parents
avaient pris conseil auprès d'un fiscaliste. Celui-ci
leur avait aussitôt fait remarquer qu'il n'était pas
raisonnable, et même tout à fait imprudent, de laisser croupir notre argent dans le même vieux pays
quand des contrées plus neuves, plus modernes,
offraient des conditions autrement intéressantes.
N'avait-on pas des attaches aux Antilles ? N'était-il
pas légitime de permettre à une jeune épouse de
se rapprocher de ses racines ? Serge et Ambre

convinrent du bien-fondé de cette remarque. Ils dirent d'accord, on va s'acheter une bicoque quelque part dans les Caraïbes, et par bicoque ils entendaient naturellement une villa qui puisse accueillir la tribu et les amis, soit douze chambres avec salles de bains en suite. Le fiscaliste approuva chaudement. Il suggéra Trinidad-et-Tobago, qui offrait des facilités attrayantes, puis nota qu'il serait dommage, quand une bicoque avait pour vocation de faire le bonheur d'une si vaste tribu, de supporter en son nom propre l'infinité de charges qui, en toute justice, incombaient à la collectivité. Serge et Ambre ne voyaient pas où il voulait en venir. C'était simple, esquissa le fiscaliste. Il suffisait de créer une société qui prendrait possession de la bicoque, société qu'on hébergerait, pour plus de sûreté, dans une autre contrée neuve et moderne, pourquoi pas l'Irlande ou le Luxembourg. Serge fit remarquer que l'Irlande n'était pas si neuve, et Ambre dit ok pour le Luxembourg, de toute façon personne ne sait où c'est. Enfin, pour parfaire le bonheur de la tribu, on acquit un yacht, on ouvrit des comptes ici et là dans les Caraïbes, et on confia la gestion du château à une personne sachant compter.

Madame Éva n'avait jamais été au service de qui que ce soit avant d'entrer chez nous. Elle et son mari Charles avaient jadis occupé de bons postes, vécu dans leur propre maison. Mais ils avaient subi de sérieux revers, et ces déboires avaient sans doute creusé le sillon revêche qu'elle labourait depuis toujours. Arrivée au château, notre intendante craignait par-dessus tout de faire des dettes.

Pour se consoler de sa séance de gym, Serge tourniquait à la recherche du bourbon. Nos finances devenaient précaires, lui rappela Madame Éva en le poursuivant à travers le grand salon. Depuis l'annonce des commémorations, aucun producteur ne se risquait à lui proposer le moindre rôle de peur qu'il soit devenu hors de prix. Or on continuait de dilapider sans retenue, insista-t-elle, et il ne serait pas raisonnable d'emprunter sans asseoir notre capacité de remboursement.

Serge venait de dénicher le bourbon dans le conduit de cheminée. Il enregistra enfin sa présence et la contempla avec perplexité.

– Je vous aime bien, Éva. Je vous ai toujours bien aimée. On n'a pas souvent l'occasion, lorsqu'on vit comme moi retiré des foules, de pénétrer de nouveaux cercles. Votre tribu comptable, par exemple, qui voudrait remplacer les choses par des chiffres. Une bien curieuse idée. Tiens, ça me donne une envie, vous croyez que je pourrais incarner, je ne sais pas, un président de multinationale, quelque chose d'immense et de tragique au dernier étage d'un building, avec de grands ciels orageux derrière les vitres ? Voyons, où est ma femme, je vais lui demander d'appeler Dominique Bernard.

Consultée, Ambre proposa d'appeler plutôt le fiscaliste. Il fournirait certainement de bons conseils pour nous tirer de l'ornière jusqu'à la fête élyséenne. Après quoi on prendrait un repos bien mérité dans les Caraïbes, où l'on prélèverait une valise de billets comme chaque fois qu'on allait en vacances.

Le fiscaliste, pour sa part, n'éprouvait aucune réticence à faire appel aux banques. Seuls les pauvres vivaient de leur argent, résuma-t-il au grand salon, les Gilets jaunes qui s'échinaient à rembourser des agios quand la notoriété vous ouvrait partout d'infinies lignes de crédit. Vous êtes vos propres actifs, martela-t-il à nos parents, ne sous-estimez pas votre valeur marchande. Il serait bien malheureux qu'à la veille des célébrations, les banques n'aperçoivent pas les retombées potentielles. Serge serait partout en couverture, avec sa femme, sa charmante petite fille.

— Et mon frère Ory, interrompis-je le fiscaliste.

— Bien sûr, bien sûr, émit ce dernier en tapotant la tête de Marvin.

Je n'eus pas le temps de le corriger. Ambre se tournait déjà vers notre intendante pour lui répéter qu'elle le lui avait bien dit, tout problème avait sa solution, et ne se lassait-elle pas de jouer les oiseaux de malheur, à la fin ? Serge voulut défendre Madame Éva, qui pas plus tard que la veille lui avait inspiré un beau rôle. Mais notre intendante quitta la pièce sans lui en laisser le loisir. La ruine, elle connaissait, elle nous aurait prévenus.

On contracta donc un emprunt pour tenir jusqu'à l'été. Puis on reçut des nouvelles du Palais. C'est Cendrine qui, par mégarde, ouvrit l'enveloppe. Elle avait mal lu le nom du destinataire sur la papeterie gaufrée liserée d'or, se flagella-t-elle. Madame Éva leva un sourcil. Elle n'osa cependant pas rétorquer que notre nurse ne recevait jamais la moindre missive – à quoi bon lui écrire puisque Cendrine ne mettait ses pouces à contribution que pour jouer à Candy Crush sur son téléphone ? Bref, l'Élysée en la personne de Brigitte annonçait qu'on se faisait une joie. On s'interrogeait aussi sur l'opportunité de convier à la fête Virginia, la première fille de Serge.

– Évidemment, statua ce dernier.

– Évidemment, doublonna Ambre sur un ton plus plat.

– J'ai lu dans *Public* qu'elle s'éclate à L.A., intervint Cendrine, qui prononçait le A du sigle comme dans « arbre », et non eille comme dans « oseille », ainsi qu'il convient.

Ambre réclama le magazine. En couverture et

sur deux doubles pages intérieures, une série de gros plans pixélisés révélait Virginia Langlois seins nus sur une plage avec son nouveau compagnon, un patron de restaurant de vingt ans son aîné mais bonifié par le soleil et le surf. «La belle Française a conquis le célibataire le plus convoité de Californie», titrait la revue.

Serge s'empara de la publication, non pour s'émouvoir des seins nus de Virginia – c'était heureux qu'elle se contente pour une fois d'exhiber ces deux-là – mais du profil de ce nouveau compagnon. Vingt ans de différence, ça faisait beaucoup trop, s'alarma-t-il en se mettant aussitôt à la recherche du bourbon. Ambre souligna aigrement que trois décennies les séparaient, elle et lui, et que leur couple n'en était pas moins solide comme le roc depuis 1998. Mais ça n'avait rien à voir, se récria Serge : Ambre avait toujours été une femme quand sa fille restait une enfant.

– Il faut qu'elle rentre en France. Je vais lui dire que je ne suis pas bien, que j'ai besoin de la voir, calcula-t-il.

– Et l'éloigner du bonheur ? protesta Ambre, jamais si tranquille que quand Virginia se trouvait à neuf mille kilomètres.

– Absolument, ce serait la soustraire à la joie, suppléa notre intendante, qui apercevait déjà dans le retour de notre demi-sœur une source de dépenses inconsidérées.

Mais Serge ne s'en laissa pas conter. Il voyait bien qu'on voulait le tenir éloigné de sa fille.

– Celle-ci aussi est ta fille, répliqua froidement Ambre en me désignant de son ongle pointu.

– Je n'ai pas dit le contraire, rugit-il. Mais tu n'as rien contre ta sœur, toi, hein ? voulut-il m'embrigader.

– Rien du tout, m'exclamai-je avant de me rendre compte de mon erreur, car Ambre me fixait avec des poignards dans les yeux.

– Tiens, le bourbon, interrompit Cendrine en extrayant la bouteille du porte-revues.

Ambre saisit un verre. Exceptionnellement, ça ferait du bien. Exceptionnellement, ça permettrait de réfléchir la tête froide, estima-t-elle en tendant le verre à Serge. Sa priorité, c'était le bonheur de Virginia. Et si ce bonheur impliquait de l'accueillir au château, elle irait elle-même préparer la chambre de ce pas, affirma-t-elle avec un accent de sacrifice. Serge déglutit et se relâcha contre le dossier de son fauteuil.

– Il faut mettre fin à cette guerre, implora-t-il. Cette guerre me blesse. Que les femmes de ma vie s'entre-tuent, c'est terrible pour moi, murmura-t-il en portant la main d'Ambre à son cœur.

Nous étions tous réunis autour d'eux – mon

frère et moi, Cendrine, Marvin, Madame Éva, Ralph, Abdul, Hélène et Julien – pour communier dans l'harmonie retrouvée. Serge m'attira vers lui de sa main libre et Ambre attrapait déjà son smart-phone pour prendre un selfie quand il interrompit son geste.

– Tiens, j'ai mal là, s'étonna-t-il en lâchant la main d'Ambre pour se masser le bras gauche.

22

Ce n'était pas la première fois qu'Ambre mettait le pied à l'Hôpital américain de Neuilly. Son nez n'était pas tout à fait le même que sur les photos de jeunesse, et son menton s'allongeait régulièrement depuis qu'elle approchait quarante ans, pour compenser un léger affaissement au niveau de la mâchoire. Non, ce n'était pas la première fois qu'Ambre posait le pied dans ces couloirs lisses et lumineux, où circulaient sur des tables roulantes des cloches en argent exhalant de délicats fumets.

Débarquée sous la sirène de l'ambulance par deux brancardiers prestes et soucieux, la civière transportant Serge fut mitraillée sans relâche. Les photos étaient impressionnantes. On voyait son beau visage décharné sous le masque à oxygène, les yeux clos, peut-être pour toujours. Notre mère agrippait sa vieille main noueuse pendant que le petit groupe s'engouffrait par la porte des urgences. Puis on apercevait une dernière fois le dos d'Ambre en imperméable, boucles noires fondues dans la nuit.

Notre mère revint nous chercher le lendemain. On ignorait encore si Serge rentrerait un jour au château. Avec mon frère, je pénétrai dans la chambre où il était alité, emmailloté dans la tuyauterie. Il voulut se redresser en m'apercevant, un faible sourire sur les lèvres, et j'accourus pour saisir sa main veinée de bleu. Quelques secondes plus tard, il s'était assoupi. Ambre m'entraîna doucement à l'écart, vers la fenêtre ouvrant sur les tilleuls et les cèdres qui avaient fait dire à Liliane Bettencourt, égarée dans les brumes d'Alzheimer, qu'elle avait bien fait d'acheter cet immeuble tant la vue était belle.

— Il va falloir être courageuse, murmura-t-elle, accroupie pour se mettre à ma hauteur.

— Nous sommes toujours courageux, la rassurai-je en lui pressant la main.

— Qui ça nous ? se raidit-elle.

Et Ambre se leva pour redevenir le félin tropical qu'elle était en Ugg ou en Louboutin, ses jambes minces perdues dans les hauteurs interminables de son jean.

— Moi et Ory, fis-je en baissant le nez.

— Il faut arrêter avec ce frère Ory, s'énerva-t-elle

en se tournant vers les tilleuls et les cèdres. Tu as bientôt huit ans, Joséphine Orlando Langlois. Tu es trop grande. La situation est trop grave. Tu n'as pas de frère Ory, martela-t-elle en me plantant ses poignards dans les yeux.

Je connaissais cette version des faits. D'aucuns avançaient parfois que je n'avais pas de jumeau. Ils prétendaient que j'étais arrivée seule et unique de l'Asie centrale, mais qu'en grandissant, je m'étais attribué un frère, lui octroyant mon second prénom et provoquant bientôt l'irritation d'Ambre par l'usage intensif que j'en faisais, car je recourais à lui pour un oui, pour un non, irritation décuplée lorsque, au lieu de l'abandonner en grandissant encore, comme il advient des amis imaginaires, je lui accordais une place de plus en plus importante, insistant pour qu'on lui réserve au goûter sa part de barquettes aux fraises et qu'on place une chaise à table pour lui. Ceux-là prétendaient encore qu'il n'y avait pas de poulains dans le parc et que, petite fille si intelligente, j'aurais dû me rendre compte que ces animaux ne pouvaient demeurer toujours des yearlings. Depuis le temps que je disais les apercevoir par la fenêtre de ma chambre, ils auraient été de fiers étalons.

— Pas de souci, fis-je en raccrochant la main d'Ambre, parce que, dans les moments difficiles, on a moins le choix de ses alliés.

Serge donna des signes de mieux au bout de quelques jours. Le président avait adressé ses vœux de prompt rétablissement. Son épouse se joignait à lui pour nous assurer que la nation se tenait à nos côtés dans l'épreuve. Ambre commença d'apercevoir les effets désastreux d'un séjour prolongé à l'hôpital. L'image de Serge en fauteuil roulant, voûté par la maladie et la médication, ne manquerait pas d'affoler le pays. Dans les maisons de la presse, à l'entrée des métros et des gares, on pleurerait par avance le monument national qui, à la veille de recevoir des tributs extraordinaires pour ses soixante-dix ans, arborait la tête de celui qui va bientôt plonger la France dans le deuil. Présageant les commémorations revues à la baisse, les difficultés à rembourser notre emprunt, Ambre sacrifia son honneur : si le couple Langlois devait être photographié à la sortie de l'hôpital, ce serait à cause d'elle. À l'approche des célébrations, Serge avait subi une crise d'appendicite violente mais bénigne. Et Ambre, pour paraître sous son plus beau jour sur les marches du Festival de Cannes, avait profité de leur passage à l'américain pour se faire retoucher quelque chose dans le visage – voyons docteur, que pourrions-nous envisager depuis la dernière fois, les yeux peut-être, une petite blépharoplastie supérieure pour remonter les paupières ? Pourquoi pas, considéra le chirurgien. Et, afin que son œuvre soit tout à fait visible, il recommanda aussi une blépharoplastie inférieure contre les poches et les cernes.

L'intervention fut programmée. On prolongea l'hospitalisation de Serge jusqu'à la date convenue pour qu'il achève sa convalescence et fasse bonne figure en sortant. Bientôt les médias diffusèrent des nouvelles rassurantes. L'acteur était hors de danger, il se remettait sous la surveillance des meilleurs médecins, entouré de son épouse et de sa petite Joséphine. Trois semaines plus tard, Ambre sortait de l'Américain triomphante au bras de son mari. *Public* et *Closer* publièrent des avant-après, des comparaisons plus ou moins flatteuses avec d'autres célébrités entre deux âges, et le premier infarctus de Serge demeura un secret bien gardé.

23

Aidé d'Ambre et Cendrine, Serge parvenait péniblement à s'asseoir dans la bergère près de son lit. On convint que la chambre à l'étage n'était plus praticable. Abdul et Ralph aménagèrent le petit salon en chambre médicalisée. Ils installèrent un lit inclinable, un chevet à roulettes, et notre père put être facilement véhiculé à la salle à manger ou sur la terrasse.

Depuis son retour au château, Serge semblait avoir tout oublié de l'anniversaire. On avait beau essayer de l'intéresser au sujet, il dirigeait son air vague vers le vol des corneilles ou nous interrogeait sur l'heure du goûter. Or on était à deux mois de la rétrospective à la Cinémathèque, puis c'était Cannes, le dîner à l'Élysée le 15 juin. Ambre serra la vis. Abdul fut sommé de se reconvertir dans la rééducation cardiovasculaire. Chaque matin, notre coach exhortait Serge à faire quelques pas sur un tapis roulant, lui faisait travailler les grands dorsaux, les quadriceps, les ischio-jambiers. Comme les médecins avaient conseillé des séances de balnéothérapie, on installa un jacuzzi près de la piscine aux as. Ambre, qui craignait les hélicoptères affrétés par des magazines indiscrets, insista pour que j'accompagne Serge dans le bassin. Ainsi, de haut, on croirait que c'était pour m'amuser qu'il lançait des ballons multicolores, et non pour entretenir les battements de son cœur.

Vers la fin février, la première dame renvoya un mot un tantinet plus sec, où elle demandait s'il fallait inviter notre demi-sœur Virginia à la fête, oui ou non ?

— Faut répondre, trancha Cendrine au petit déjeuner, un coude sur la table et l'autre commodément calé sur le dossier de son siège pour mieux étudier la missive élyséenne.

Ambre leva vers elle un regard plein d'appréhension. Elle redoutait par-dessus tout l'arrivée de Virginia. Après n'avoir rien fait pour Serge sinon lui soutirer des dizaines de milliers d'euros d'argent de poche, notre demi-sœur ne manquerait pas de se mêler de tout – le traitement administré au malade, le protocole de rééducation –, en bref l'ensemble des corvées qui incombaient à l'épouse. Elle aimerait l'y voir, à jouer à l'infirmière du matin au soir, maugréa Ambre en envoyant valser sa mule sur Biniou, qui mâchouillait les pieds du Louis XVI.

– Y a qu'à rien dire, arbitra Cendrine en reposant la lettre dans son assiette pleine de confiture.

– Mais ça se voit, se récria notre mère en désignant Serge, assis à l'écart dans un fauteuil de relaxation, et qui examinait sa tartine comme s'il n'en avait jamais vu.

– Tu te casses la tête pour rien, tranquillisa Cendrine. D'abord le problème, après la solution.

Ambre se demandait parfois d'où notre nurse tirait tout son savoir. Ce n'était certainement pas au U du Blanc-Mesnil qu'elle avait perfectionné sa science de l'esquive. Pourtant Cendrine maniait à merveille le velours, le fer, le poison. Celle-ci croisa ses couverts sur son assiette parce qu'elle avait compris que c'était le signal pour qu'Hélène débarrasse.

– T'en fais pas, conclut-elle. Je m'occupe de Virginia. En attendant, faut répondre à Brigitte.

Et Cendrine braqua son regard sur Madame Éva. À l'autre bout de la table, notre intendante appliquait un mouvement de rotation à sa soucoupe, les yeux rivés sur la porcelaine. Elle seule était capable d'écrire à la première dame, d'emballer notre pensée dans les mots adéquats. Mais elle nous opposait un silence buté, observant la nappe comme si elle avait renoncé à combattre Cendrine de front et qu'elle se contenterait désormais, pour vivre en paix, de ne plus jamais se mêler de nos affaires.

– Tu vas lui écrire que c'est ok, stipula notre nurse. Tu vas lui dire qu'on sera super contents de voir Virginia à la fête.

Et elle vint se placer derrière Ambre pour appliquer deux paumes consolatrices sur ses épaules. Notre mère fixait Madame Éva en silence. Pour la première fois, elle paraissait l'appeler à son secours, l'implorer de produire une contre-expertise. Mais notre intendante demeurait muette à l'autre bout de la table. Elle retournait le regard qui lui était adressé comme si elle préférait se pendre plutôt que de se salir les mains avec notre linge sale. Privée de ses lumières, Ambre fut contrainte de se ranger à l'avis de Cendrine.

– Qu'est-ce que vous faites encore ici, houspilla-t-elle, il faut répondre tout de suite à madame Macron.

Et elle sonna Abdul pour qu'il fasse monter Serge sur le tapis roulant.

24

Notre père recommençait tout juste à faire quelques pas quand la France fut sommée de tirer le rideau. La nouvelle tomba comme un coup de matraque. Au château comme au Blanc-Mesnil, on n'apercevait pas en quoi une petite fièvre, une petite toux venue du Hubei, devait porter un coup d'arrêt à tous les projets qu'on s'échinait vaille que vaille à mettre sur pied. Or il s'avérait soudain que le gouvernement avait le pouvoir de contraindre la population à déguerpir des ronds-points et à rester benoîtement chez elle devant les chaînes d'information en continu. La France obtempéra comme un seul homme. On n'avait jamais vu pareille docilité hexagonale.

Malgré toutes les richesses qui protégeaient notre famille, on en savait encore peu sur ce virus qui décimait les moins fortunés. Il pourrait aussi bien muter pour s'en prendre aux nantis, conjectura Cendrine, qui avait glané quelques notions de génétique sur BFM, voire aux enfants, et elle pointa dans ma direction un index rougi de rognures.

– On pourrait appeler la manucure, éluda Ambre, qui dans l'incertitude se raccrochait au concret de la vie.

– C'est interdit, rappela Cendrine, et elle lui expliqua une fois de plus les règles du confinement car notre mère, préoccupée, les oubliait aussitôt.

Depuis la mi-mars, toutes les festivités étaient remises en question. La Cinémathèque avait fermé ses portes, le Festival de Cannes était annulé, et l'on avait beau relancer Brigitte dans les termes les plus courtois, la première dame faisait maintenant la morte, terrée dans son propre palais. Puis Madame Éva informa Ambre qu'avec les frais d'hôpital, on n'avait plus d'argent pour verser les salaires en avril. Il faudrait mettre les employés au chômage partiel afin de bénéficier des aides de l'État.

– Faites, faites, répondit Ambre, qui préférait ignorer les détails tant qu'on lui annonçait l'existence d'une solution.

– Le chômage partiel, ça veut dire qu'on ne travaille pas, précisa néanmoins notre intendante.

– Et qu'on gagne seulement quatre-vingts pour

cent de notre salaire, ajouta Cendrine avec un sourire angélique.

Ambre se tordit les mains. Elle comprenait que le château avait commencé à s'écrouler autour d'elle. Bientôt les dorures se couvriraient de poussière, le lierre tapisserait les façades, et les ronces s'immisceraient entre leurs parfaites jointures pour envahir le grand salon. Secouée par un sanglot, elle se prit la tête dans les mains. Cendrine se précipita pour lui prêter assistance, et Ambre se blottit contre la poitrine de notre nurse.

– T'en fais pas, moi je travaillerai même pour rien, consola Cendrine en lui tapotant le dos, ainsi qu'elle faisait avec son fils quand d'aventure il s'arrêtait une seconde de tourner.

L'école ayant fermé ses portes, il fallait occuper le jeune Marvin. Cette tâche incombait à Abdul. Il lui organisait des marathons de saut à l'élastique, des courses d'obstacles, fixait des cordes aux mélèzes pour qu'il s'élance de branche en branche dans l'espoir de l'épuiser. À plusieurs reprises, Ambre évoqua le méthylphénidate prescrit par le médecin, que Cendrine avait remisé dans l'armoire à pharmacie de l'office sans l'ouvrir. Dans l'intérêt du gamin, ne faudrait-il pas lui administrer son médicament afin qu'il se tienne tranquille cinq minutes et apprenne au moins l'alphabet ?

J'ouvris de grands yeux. C'était bien la première

fois que notre mère se faisait l'avocate de la lecture. Mais elle avait renoncé à cultiver la joie, et je n'avais plus besoin de me cacher pour demander à Madame Éva de me procurer des livres qu'elle jugeait intéressants. C'étaient des histoires de lignées maudites, de disparitions, de rapts d'enfants. Je les dévorais près de la cheminée pendant qu'Ambre portait un regard de plus en plus vague à la télévision, puis sur sa manucure écaillée, puis sur Biniou, dont elle ne craignait plus tant qu'il macule le velours turquoise avec ses pattes pleines de terre. Cendrine, cependant, ne s'inquiétait pas que son fils soit à peine capable d'écrire son nom. Si notre mère revenait à la charge, elle jetait un regard lourd de sens dans ma direction. Dos aux flammes, je lisais à voix haute pour que mon frère Ory profite lui aussi de l'histoire, et bientôt les deux femmes se détournaient de moi en poussant des soupirs.

J'étais en train de raconter à mon frère l'affaire du petit Grégory quand retentit le carillon du portail. Ambre oublia la télévision, où un présentateur trop bronzé égrenait avec passion le décompte des morts, des patients hospitalisés, des patients en soins intensifs, pour fixer la porte. Cendrine mit un terme à sa partie de Candy Crush et traîna ses chaussons jusqu'au vestibule pour contrôler la caméra de surveillance. Elle s'apprêtait à éconduire les visiteurs quand elle s'arrêta net devant l'écran. Ambre, qui l'observait depuis le grand salon, se pétrifia d'épouvante, et Madame Éva rejoignit Cendrine pour se rendre compte par elle-même. Comme toutes deux restaient pâles et muettes devant le moniteur, je lâchai le petit Grégory pour aller voir à mon tour. Le visiophone était placé trop haut pour moi. Sans mot dire, Madame Éva me souleva à sa hauteur pour me permettre de distinguer, descendant d'un taxi dans un grand manteau rouge, notre demi-sœur Virginia tout juste débarquée de Los Angeles pour confiner avec nous.

25

C'est dans la pose de Juliette Récamier peinte par David que Virginia prit place sur la méridienne. Mais, si la beauté de notre demi-sœur n'avait rien à envier à cette figure de l'Empire, Virginia n'affichait pas l'expression douce et déterminée de Juliette. Son grand manteau rouge jurait sur le velours turquoise, et ses yeux obliques balayaient le grand salon comme s'ils n'avaient jamais contemplé spectacle plus répugnant.

On observait de fait un certain laisser-aller depuis le début du confinement. Hélène et Julien, qui avaient toujours répété que c'était pour eux un honneur de faire partie de notre tribu, manifestaient peu d'enthousiasme à l'idée de travailler pour quatre-vingts pour cent de leur salaire. Depuis la mi-mars, il fallait se rendre soi-même à la cuisine quand on avait faim, grappiller dans le frigo le peu d'aliments disponibles. Les miettes figeaient dans le velours. On oubliait les emballages sous les coussins.

Or Virginia n'était pas rentrée de Los Angeles pour croupir dans les détritus. Elle était revenue parce qu'elle s'était séparée du célibataire le plus convoité de Californie, et que l'arrêt mondial de l'économie avait stoppé net l'enregistrement de son deuxième album. Elle avait besoin de réconfort, et elle se demandait bien où se cachait son petit papa, dont c'était le rôle de lui en fournir.

– Ok, il fait la sieste, mais ça fait trois heures qu'il dort, alors soit tu vas le chercher, soit je monte voir ce qui se passe, menaça-t-elle Ambre en décroisant ses bottes rouge sang.

Il n'était pas à craindre que les bottes de notre demi-sœur, qui touchaient rarement terre, ne crottent la méridienne. Cendrine se précipita néanmoins pour leur offrir un coussin. Virginia devait être bien fatiguée après ce long voyage. Il ne fallait pas qu'elle se dérange, notre nurse irait immédiatement prévenir Serge de son arrivée.

Quelques minutes plus tard, celle-ci revint dire que notre père était aux anges de revoir sa fille préférée. Ambre bondit du pouf, outrée par la formulation. Mais Cendrine se mit en travers de son chemin pour lui faire signe de se taire, et elle nous conduisit au petit salon, où Serge était attablé devant une partie de dominos avec Charles Caradec. Notre père esquissa un pâle sourire en apercevant Virginia. Il tendit ses doigts noueux vers la jeune femme, qui se précipita pour l'embrasser.

– Oh mon petit papa, sanglota-t-elle avec de vraies larmes, car Serge était en effet bien changé depuis la dernière fois qu'elle l'avait vu, le teint cireux, amaigri, chaque mouvement lui coûtait des douleurs qu'il tentait en vain de dissimuler.

Face à lui, Charles Caradec avait de beaux restes. Le mari de notre intendante avait beaucoup plu aux femmes, mais ses traits s'étaient dilués dans le mutisme et l'inaction. Il ignora notre irruption, abattit un double six sur le plateau et quitta la pièce comme si nous étions aussi invisibles que l'homme d'H. G. Wells.

– Oh mon petit papa, qu'est-ce qu'elles t'ont fait ? reprit Virginia.

Et de douleur elle sortit en courant.

Comme Serge nous fixait avec perplexité, Cendrine lui tapota l'épaule et mit tout le monde dehors. Au grand salon, Virginia refusait maintenant de s'asseoir. Elle tourbillonnait au milieu du tapis, les pans de son grand manteau virevoltant sous le lustre, et elle employait des vocables qu'on interdisait aux enfants de prononcer au château

– des mots en -ope, des mots en -asse, qui s'adressaient à Ambre clouée devant l'âtre.

Or il y avait des limites à l'amour que notre mère vouait à l'humanité. Peu encline aux discours, elle privilégiait les actes, et ceux-ci prirent un tour inaccoutumé quand, lassée de tous ces -ope et ces -asse qui pleuvaient sur sa tête, elle se jeta sur la chevelure de Virginia. Crinière que notre demi-sœur avait fort belle, rousse à reflets d'or, délicatement ondulée. Des mouvements indistincts s'ensuivirent, assortis de cris. Marvin arrêta de me persécuter pour saisir comme moi une main de Madame Éva pendant que Cendrine prétendait séparer les protagonistes avec des onomatopées apaisantes, la la la, tt tt tt, mais sans se risquer non plus, se bornant à marquer sa désapprobation face à un tel déferlement de violence plutôt que de chercher à y mettre un terme.

Les cris finirent par cesser, le calme par revenir. Virginia s'assit sur la méridienne, échevelée, soufflant fort, tandis qu'Ambre s'écroulait sur le pouf.

– On n'y arrivera pas comme ça, gémit Virginia, les yeux humides.

Et Ambre, comprenant que notre demi-sœur aurait toujours l'avantage au jeu des sentiments, pleura aussi. Quand les reniflements s'espacèrent enfin, Cendrine dit qu'on devait se prendre dans les bras. Tout le monde s'enlaça excepté Madame Éva, qui avait eu soif et était allée se servir un verre à la cuisine. Puis Cendrine entraîna Ambre à l'étage sous prétexte de préparer la chambre.

Dans les appartements d'Ambre, tout était moelleux et blanc. Il y avait des coussins vaporeux, des oreillers nacre, des plumes, du molleton, un déferlement de blancheur seulement interrompu, ici et là, par un galon ou une passementerie d'or. Ambre se laissa tomber devant la coiffeuse. Sur la tablette en marbre, Cendrine choisit un instrument à longues dents pointues pour peigner ses boucles avachies.

L'arrivée de Virginia rendait encore plus urgent de trouver des liquidités, représenta-t-elle à notre mère dans le miroir. Ambre haussa les épaules. Elle se fichait bien de ne pas manger. Mais on avait des enfants à charge, contrecarra Cendrine, sans parler de la présence au domicile d'une personne vulnérable. Puis elle fit valoir que, dans les moments difficiles, il ne fallait pas hésiter à faire appel à la tribu élargie. Et elle laissa planer derrière cette phrase un océan de sous-entendus.

Ambre écarquilla des yeux bien ouverts, et même difficiles à fermer depuis la double blépharoplastie pratiquée à l'Hôpital américain.

– On ne va quand même pas demander de l'argent aux employés, balaya-t-elle. On n'arrive déjà plus à vous payer.

– Fais-moi confiance, rassura Cendrine, et tout ira bien.

Alors je compris que tout irait de mal en pis. Aux yeux de notre nurse, il n'y avait aucune difficulté qu'on ne puisse abattre avec un peu d'invention. Et si ses solutions supposaient un rapport élastique avec la morale, elle paraissait la seule à ne pas l'apercevoir, à moins qu'elle ne fût plus excitée encore par cette élasticité, jouissant de s'avancer là où nulle autre ne se serait autorisée à sa place, car Cendrine, malgré tous ses mystères, n'avait rien d'opaque, c'était un démon.

Avant d'accéder à la semi-célébrité, Abdul s'était longtemps cherché. Il manquait de direction, errant sans guide au Blanc-Mesnil jusqu'à ce que la chance vienne le cueillir. Un jour où il traînait près de la mosquée, on lui avait fait des propositions. Il avait écouté par curiosité, consulté la documentation sur internet. Le jeune homme pesait mollement le pour et le contre lorsque ses talents de danseur avaient été remarqués dans un festival de hip-hop. Sa carrière dans le salafisme s'était arrêtée net, mais des traces subsistaient de ce passage à vide. Elles perduraient dans son ordinateur, découvertes par Cendrine la première fois qu'elle avait accompagné Aminata chez lui, quand elle travaillait au U, puis d'autres fois ensuite. Traces qu'Abdul avait eu beau effacer, le disque dur en conserverait à jamais l'historique, spécialement si on en avait fait une copie et que cette copie se trouvait entre les mains de Cendrine.

Je me suis souvent demandé pourquoi notre nurse, après s'être fait coopter au château par Abdul, n'avait pas pensé à lui soutirer de l'argent plus tôt. Pourquoi, au lieu de nous laisser faire un pas de plus vers le précipice, elle n'était pas allée le trouver dès le début du confinement, au lieu d'échafauder des stratégies complexes mêlant un maximum de monde à nos affaires. C'était mal la connaître. Plus elle impliquait de gens dans ses combines, plus elle disposerait de leviers par la suite. Cendrine ne savait pas toujours à l'avance ce qu'elle obtiendrait de l'un ou de l'autre. Mais elle conservait soigneusement ses atouts par-devers elle, prête à les abattre le moment venu.

26

Sophie de Mézieux sortait de sa dépression à la faveur du confinement. Notre voisine, qui avait plongé dans la mélancolie suite à la trahison de Ralph, profitait de la présence au domicile de son mari pour lui mettre les points sur les i. C'était quand même un comble, lui exposa-t-elle vers la fin du mois d'avril, qu'elle trinque parce que Geoffrey l'obligeait à vivre une existence honnie. Sophie savait jouir, elle en avait fait l'expérience. Et si elle refusait aujourd'hui de quitter sa chambre, c'était parce qu'elle vivait confinée trois cent soixante-cinq jours par an avec quatre petites filles qui semblaient s'être donné pour mission sur terre de lui faire payer ses renoncements. Il fallait que ça cesse, Geoffrey, ou je te quitte.

Geoffrey téléconférençait sur Zoom, il n'avait pas entendu. Sophie répéta. Il finit par tendre une oreille, la supposa toujours mal portante, car quelle femme dans son bon sens renoncerait aux avantages du nom et de la fortune pour une vie de divorcée ? Sophie considéra l'argenterie, la véranda sur le parc, reconnut qu'il y avait de la logique dans ce raisonnement. Elle se triturait la cervelle à la recherche d'une solution quand Abdul se présenta au manoir. Le jeune homme s'était fait une attestation pour assistance à personne vulnérable. Il voulait témoigner à Sophie la sympathie de notre famille, s'assurer qu'elle ne manquait de rien.

Or il lui manquait beaucoup, balbutia Sophie, à peine revenue de sa surprise. Il lui manquait énormément, poursuivit-elle en l'attirant à l'intérieur par le cordon de son sweat-shirt. Puis elle s'assura que les filles piaillaient devant le bureau de Geoffrey et l'entraîna vers des recoins plus intimes du manoir.

Ainsi notre coach combla-t-il ses besoins les plus urgents. Ensuite il ne lui cacha pas qu'au château, on était dans la gêne. Jamais Ambre, par pudeur, n'en soufflerait mot à son amie. Mais, si notre famille possédait des comptes lointainement hébergés, l'arrêt du trafic aérien rendait délicat le rapatriement de ces fonds. Sophie compatit. Elle avait travaillé dans la finance. Elle savait qu'à partir d'un certain niveau de richesse, on était forcé de recourir à des solutions offshore, ou l'État vous ratissait tant et si bien qu'on pouvait quasi déménager dans le 93. Sophie, d'autre part, ne comptait plus faciliter la vie de Geoffrey. De l'argent, qu'il en gagne, puisque c'était sa fonction. Et de plus en plus, car elle avait l'intention de dilapider. Oui, on allait se serrer les coudes à Rambouillet, assura-t-elle à notre coach, et elle attendit que son mari termine sa téléconférence pour s'introduire dans le bureau, où elle retira du coffre vingt billets de cinq cents. Un vaccin contre le virus aurait été trouvé depuis belle lurette quand Geoffrey s'apercevrait du débit. Nous aurions tout le temps de rembourser, mais franchement, entre amis, était-ce bien nécessaire ?

Une heure plus tard, Abdul vint trouver Ambre au grand salon. Il avait pioché dans ses économies, avança-t-il avec embarras, trouvant injuste que les employés bénéficient du chômage quand les patrons se retrouvaient sans ressources. Ambre souleva son corps maigre de la méridienne. Elle extirpa une main du pashmina où elle s'était emmitouflée, saisit la liasse. Dix mille, ça ne pesait pas lourd au regard des valises que Ralph transportait autrefois sous les portiques de l'aéroport. Mais il y avait un trou dans le châle et le feu baissait – Julien n'avait plus le cœur d'apporter du bois depuis qu'il était au chômage partiel.

Notre mère eut juste le temps de faire disparaître

la liasse sous le pashmina quand Virginia fit son entrée. Elle venait de passer un moment avec Serge. Guidée par notre nurse, elle lui prodiguait des soins de confort, retapait ses oreillers, lui murmurait des paroles tendres. Virginia portait un survêtement bleu nuit velouté et des baskets blanches, comme une version très stylée de Cendrine. Notre demi-sœur réussissait l'exploit d'être à la fois ronde et mince. Les kilojoules affluaient spontanément aux bons endroits, elle n'avait pas besoin de s'affamer pour garder la ligne et s'entretenait par la seule pratique du hip-hop – une heure par jour avec Abdul – et de la cocaïne. Elle qui, d'autre part, s'était rendue célèbre par ses excès, sautes d'humeur, prises de bec avec les photographes, se radoucissait face à la déconfiture de notre mère. Elle devenait presque «sympa», se plaignait amèrement celle-ci quand notre demi-sœur avait le dos tourné.

Virginia s'assit sur le pouf et fit une place à Cendrine, qui ne la quittait plus d'une semelle.

– Profiter de ses proches, la définition du bonheur, roucoula-t-elle en étirant vers le lustre ses doigts bronzés.

Puis, par le trou dans le pashmina, elle aperçut les billets.

– Génial, on va pouvoir faire des courses,

s'excita-t-elle en se jetant sur la liasse, qu'Ambre n'eut pas le réflexe de retenir.

Et elle courut dire à Ralph de sortir la Bentley. Sur la méridienne, Ambre se redressa pour faire face à Cendrine, toujours assise sur le pouf.

– J'aimerais bien savoir à quoi tu joues, siffla-t-elle pendant que s'éloignait le ronflement du moteur.

Madame Éva, qui lisait le journal dans un coin, émit un bruit de gorge. Ambre voulut savoir ce que notre intendante insinuait par là. Mais celle-ci replongea dans son quotidien, qui aurait aussi bien pu dater de la veille ou de la semaine précédente, pour ce qu'on y apprenait – la maîtrise de la première vague n'excluait pas l'apparition d'une deuxième à l'automne, il fallait se méfier des remèdes miracles promus par le président américain et les médecins marseillais, rappel des gestes barrières.

– T'inquiète, je roule pour toi, cajola Cendrine en rejoignant notre mère sur la méridienne.

Mais non, s'échauffa Ambre, il ne suffisait pas de l'endormir avec des belles paroles et de comploter avec Virginia dans son dos. Tout le monde l'abandonnait alors qu'elle portait le château à bout de bras. On ne s'en sortirait pas avec des demi-mesures. Il y avait un emprunt à rembourser, un train de vie à soutenir. Ambre s'était crue en sécurité depuis qu'elle avait une enfant avec Serge, poursuivit-elle en pointant dans ma direction un index indigné, et voici qu'un stupide virus mena- çait l'édifice qu'elle avait patiemment construit. Elle avait tout donné à sa famille pour se retrou- ver Gros-Jean comme devant, vivant de la charité de ses employés. Mais c'en était trop, hurla-t-elle si haut que Marvin cessa d'arracher les embrasses des rideaux, c'en était plus qu'elle ne pouvait sup- porter, et elle courut se réfugier dans sa chambre.

Le soleil se couchait sur la terrasse. Un flam- boiement éclatait derrière les mélèzes, marée rouge étalée au-dessus des cimes. Marvin reprit sa course effrénée autour de la pièce et mon frère Ory se posta près des croisées pour étudier le développement de l'incendie entre les arbres. La nuit avait envahi le parc depuis longtemps quand Virginia et Ralph rentrèrent au château. Ils étaient gais. Ils avaient passé une bonne après-midi, ainsi qu'en attestaient la chevelure en désordre de notre demi-sœur et le sourire démantibulé sur la figure de Ralph. Apercevant le feu moribond, celui-ci mit de l'ordre dans les bûches pendant que Virgi- nia allumait le lustre. On n'y voyait rien dans cette tombe, s'esclaffa-t-elle avant de nous raconter leur excursion à Vélizy.

Elle et Ralph avaient vite renoncé à remplir un caddie chez Auchan. Il y avait une queue pas

145

possible, on n'imaginait pas, les gens patientaient des heures à l'entrée du magasin, le nez dans leur col par crainte des gouttelettes empoisonnées. Virginia avait eu beau agiter ses grands cheveux, faire éclater son célèbre sourire, personne ne leur avait proposé de griller la file. Ralph et Virginia étaient donc remontés dans la Bentley. Derrière les vitres teintées, ils s'étaient un peu amusés, puis ils avaient passé quelques coups de fil. Bientôt un scooter muni de dieu savait quelle attestation s'arrêtait à leur hauteur pour échanger un minuscule paquet contre deux billets de cinq cents. Ça mettrait tout le monde de bonne humeur, pouffa Virginia en se frottant les narines. Et, ravie de son aventure, elle courut la raconter à son petit papa.

27

Dopé par la présence de sa fille préférée, Serge émergeait de l'assoupissement perpétuel. Il faisait maintenant rouler son fauteuil jusqu'au grand salon, où il s'était trouvé une nouvelle activité. Avec Madame Éva, il se passionnait pour les faits divers. Tous deux n'aimaient rien tant que dépiauter les homicides non résolus, échafauder leurs propres théories. Ensemble, ils regardaient les *replay* des émissions de Christophe Hondelatte, où l'animateur narrait des drames épouvantables avec force effets sonores pour rythmer son récit.

Le Premier ministre, cependant, avait promulgué un déconfinement progressif à partir du 11 mai. La veille de cette date, Hélène et Julien annoncèrent qu'ils avaient trouvé à s'employer dans un autre château des environs – un manoir du XVe siècle abritant une famille de sept enfants parfaitement éduqués et deux particules remontant à saint Louis. Ambre, qui se croyait aimée, pleura beaucoup. Mais Serge dit bon débarras. Il en avait soupé de ce couple veule et terne qui abreuvait nos topiaires de glyphosate.

Notre père faisait des progrès de jour en jour. Bientôt Cendrine estima que la présence de sa fille préférée l'excitait plus que de raison. Et, sans se désolidariser ouvertement de Virginia, elle dériva de nouveau vers l'autre bord, regagnant à petits mouvements coulés la rive d'Ambre, qu'elle n'avait jamais officiellement quittée. De toute façon, notre demi-sœur commençait de s'ennuyer avec nous. À la faveur du déconfinement, elle plia bagage pour s'installer chez sa mère.

Ambre se leva de la méridienne, sortit sur la terrasse pour suivre des yeux le vol d'un hanneton. Il était peut-être temps de sauver les meubles, souffla-t-elle à Cendrine.

Notre mère entrevoyait à peine la sortie du tunnel quand se présenta Sophie de Mézieux. Elle embrassa tout le monde avec effusion, comme si elle avait été longtemps retenue en otage. Mais Ambre ignorait que l'argent offert par Abdul procédait en réalité de la générosité de son amie. Elle la reçut sans chaleur, coite et morne ainsi qu'elle se comportait désormais vis-à-vis de tout le monde. Sophie eut beau lui rappeler leur complicité passée, quand elles conspiraient sans fin au bord de la piscine, Ambre ne sortit pas de sa maussaderie. Et notre voisine rentra chez elle légèrement décontenancée – non qu'elle ait escompté un débordement de gratitude, mais un petit signe de reconnaissance, pourquoi pas.

Puis la première dame redonna signe de vie. Le déconfinement allait bon train. Les Français renouaient avec la croissance, l'humeur était à la fête, et le président voulait partager cette liesse avec eux. Comme notre famille était moins mobile, Brigitte avait imaginé de nous rendre visite avec son mari le jour de l'anniversaire. Un autre président s'était autrefois invité à la table des Français. L'opération lui avait permis de corriger l'image d'arrogance qui lui collait à la peau depuis le début de son mandat. Bien sûr, l'actuel occupant du Palais ne se risquerait pas, comme Giscard, chez des chauffeurs de poids lourds ou des employées de supermarché. Mais chez un monument national, ma foi.

Ivre de joie, Ambre déposa des baisers sur tous les crânes à sa portée. L'anniversaire était dans moins d'un mois. Il fallait remettre de l'ordre, chasser la crasse, briquer les vitres. Elle courut annoncer la bonne nouvelle à Serge.

Quand elle entra au grand salon flanquée de Cendrine, notre père suivait justement une émission de Christophe Hondelatte – l'histoire d'une dénommée Annabelle Lecoq et de son petit garçon, volatilisés en banlieue parisienne quelques années plus tôt. Serge ne reçut pas la nouvelle avec la joie espérée. Il appréciait la tranquillité de ses après-midi avec Madame Éva. Il n'avait pas envie d'être dérangé.

– Enfin Serge, lui représenta Ambre, stupéfaite. Enfin Serge, répéta-t-elle, à court d'arguments.

– On peut pas décevoir les Français, flagorna Cendrine.

Mais Serge fixait obstinément la face réjouie de Christophe Hondelatte. Notre intendante avait appuyé sur pause, et tous deux attendaient impatiemment la suite du récit.

– Tu auras tout le temps pour Hondelatte cet été à Trinidad, reprit Ambre, car elle entrevoyait enfin le moment de remettre le pied sur l'île.

– C'est bizarre comme cette Annabelle a un faux air de Cendrine, dévia Serge. Tu vois ce que je veux dire ?

Ambre jeta un regard distrait à la télévision. Une jeune femme aux yeux obliques, fine et enjouée comme un diable, souriait devant l'objectif, son gros bébé dans les bras. Mais notre mère détestait les faits divers, où de sinistres individus contrevenaient par tous les moyens possibles à la joie. Elle s'empara de la télécommande pour congédier Christophe Hondelatte. Serge battit l'air afin de récupérer l'objet. Mais elle fit un pas en arrière, brandissant la télécommande vers le lustre pour signaler qu'il faudrait se montrer coopératif.

— Tiens, le chien, s'exclama Cendrine, comme Biniou déboulait par la terrasse, une chose vieille et sale dans la gueule.

— Laisse le chien, s'irrita Ambre.

— Mais non, le chien, insista Cendrine, et elle se pencha pour examiner ce que le bichon venait de déposer sur le tapis. On dirait un os, décrivit pensivement notre nurse.

— Une patte de lapin, intervint Madame Éva, penchée elle aussi sur l'objet.

On appela Ralph pour qu'il nous débarrasse du trophée.

— C'est quand même curieux toutes ces pattes qui poussent dans le parc, commenta notre intendante.

Ralph empocha la trouvaille et fit demi-tour vers les garages. Or mon frère et moi ne l'entendions pas de cette oreille. Nous nous étions déjà fait confisquer une patte de lapin, nous ne lâcherions pas si facilement la deuxième. Quand les adultes furent retournés à leur conversation, Ambre plus inflexible que jamais et Serge reconnaissant bientôt sa défaite dans le seul but de récupérer la télécommande, j'entraînai mon frère vers les garages.

Notre chauffeur était accroupi près de la Ferrari.

Il réparait une jante qui avait souffert d'un coup de talon lorsque Virginia avait compris qu'elle n'obtiendrait pas le moindre petit chèque avant de partir chez sa mère. Ralph finit de polir le métal, rangea ses outils dans une caisse et porta celle-ci vers la remise où il conservait son matériel. Avec mon frère, je me cachai derrière une carrosserie pour l'observer. C'est ainsi que je vis notre chauffeur déposer la caisse sur l'établi, sortir la patte de sa poche et la jeter dans une armoire métallique où reposait toute une collection de petits objets longs ou ronds, poilus ou glabres, mais tous pareillement maculés de terre.

28

Biniou mourut le lendemain. Comme tous nos bichons avant lui, il succomba à une maladie bizarre de l'époque. Dans la fureur des préparatifs, personne ne s'appesantit sur le chien. Ralph et Abdul s'affairaient à rendre le parc présentable. Derrière la tondeuse ou armés d'un taille-haie, ils tentaient d'apprivoiser la végétation. On fit rapidement une croix sur les as. Le pique avait enflé en grosse masse hirsute, le carreau s'avachissait en trapèze, il ne restait qu'un lointain souvenir du cœur et du trèfle. Tous quatre furent ratiboisés pour être moins visibles. Puis on considéra le bassin. L'eau jaune hébergeait des colonies de libellules, de têtards, des champignons brunâtres. On bâcha la piscine en priant pour que Brigitte n'ait pas envie de barboter.

À l'intérieur, Ambre et Cendrine effectuaient

un grand ménage de printemps. Elles astiquèrent le buste de Serge, battirent les tapis, remirent en marche les horloges, lustrèrent les cadres dorés des miroirs. Le château avait retrouvé un peu de sa splendeur quand la première dame téléphona pour confirmer la venue du couple présidentiel. Surtout, qu'on ne mette pas les petits plats dans les grands : ils espéraient bien être reçus à la bonne franquette. À ce propos, Brigitte avait eu une idée. Elle avait consulté le compte Instagram d'Ambre et trouvé spécialement sympathiques ses publications de l'été dernier, lors de notre *pool party*. Pourquoi ne pas inviter à la fête nos amis du 93 ? Elle pensait notamment à Mathias Doucet, figure des Gilets jaunes. Ce serait une occasion conviviale de s'entretenir avec lui. Emmanuel, d'autre part, confia Brigitte *sotto voce*, n'avait plus tant l'occasion de fréquenter des jeunes hommes issus de la diversité depuis l'affaire Benalla. Ce serait pour lui une joyeuse surprise qu'Abdul et son ami Brahim participent au dîner.

Ambre reposa le téléphone et contempla son royaume. Autour d'elle, le grand salon étincelait de mille feux. Elle se rappela que la gloire avait ses servitudes, et elle ordonna aussitôt à Cendrine de convoquer le 93. Que tout le monde arrive à l'heure, surtout, on ne faisait pas attendre un président.

29

Ils étaient encore plus petits et minces qu'à l'écran. J'ignore pourquoi cela nous a surpris. Avant le confinement, nous fréquentions assez de célébrités pour savoir que, chez elles, l'image constituait la réalité, et le corps de chair, le substitut. Peut-être espérions-nous qu'un président fasse exception aux lois de la perspective, qu'il soit consubstantiellement doté de pouvoirs extraordinaires et qu'en l'accueillant dans notre demeure, nous en éprouverions le souverain bénéfice, ainsi qu'au Moyen Âge les monarques guérissaient les écrouelles des manants.

Les Macron ne guérirent rien du tout. Sur le perron, le photographe officiel de la présidence immortalisa les embrassades et tapotages d'omoplates de rigueur sans que notre père se lève miraculeusement de son fauteuil. On franchit la porte du château. Nous vivions dans un véritable petit Petit Trianon, s'écria Brigitte dans le vestibule, et elle regretta aussitôt qu'à La Lanterne, on sacrifiât le cosy pour le grandiose.

Ambre introduisit les invités au grand salon. Notre mère retrouvait toute la gaucherie de sa jeunesse, empotée dans un tailleur bleu poudré qui lui avait paru convenable pour recevoir la première dame. Elle avait retenu du protocole qu'il ne fallait pas faire d'ombre à ses hôtes et, craignant à bon escient de paraître plus grande et plus maigre, elle s'était fagotée en rombière. Ralph posait au majordome, offrant du champagne à la ronde, tandis que Cendrine et Madame Éva proposaient des petits fours. L'une pareille au coucou, l'autre à la corneille, elles faisaient des courbettes outrées devant Abdul, Brahim et Aminata, assis en rang d'oignon sur la méridienne. Tous trois répondaient des banalités polies au président qui s'intéressait pendant que Mathias ruminait près de la cheminée. Aminata ne l'avait pas averti de la présence des Macron, de crainte qu'il flaire le guet-apens. Elle lui avait seulement dit qu'il s'agissait de fêter le déconfinement, et Mathias s'était retrouvé à poser sur le perron avec le président comme un lapin pris dans les phares.

Ce dernier se tourna vers lui pour exprimer sa satisfaction d'échanger enfin d'homme à homme avec un fameux Gilet jaune. Ses yeux trop bleus fichés dans le regard rétif de Mathias, il expliqua que ses intentions avaient été mal perçues – sans doute les avait-il mal exprimées, il manquait souvent de pédagogie. En réalité, il comprenait la colère des Gilets, et il se félicitait de résoudre maintenant les difficultés par le dialogue.

– Quels beaux mélèzes, s'exclama Brigitte comme le soleil s'écroulait derrière les conifères, et elle déplora que les jardins à la française de La Lanterne ne soient pas plus touffus – le fouillis de notre parc était si charmant.

Ambre se pétrifia davantage. Elle tripotait l'ourlet de sa jupe quand il aurait fallu, avec grâce, proposer à la première dame de faire le tour du propriétaire, échanger avec elle des idées de décoration intérieure. Mais le président avait déjà repris la parole. Le dialogue, poursuivait-il, était l'essence de la démocratie. Bien sûr, il respectait les vues sinon le mode opératoire des Gilets. Mathias avait-il songé qu'il gagnerait en influence s'il rejoignait une instance dirigeante ? Ou une commission gouvernementale, pourquoi pas. Qu'un expert des inégalités travaille à un rapport sur ce sujet, ce serait gagnant-gagnant. Mathias serait naturellement rémunéré pour sa mission, il pourrait se mettre en retrait de la grande distribution pendant tout le temps nécessaire, précisa le président en

évoquant un chiffre baroque. Et, le laissant méditer cette offre, il se tourna vers Serge pour lever sa
flûte à la santé retrouvée.

On avait pris soin de tirer les rideaux de la salle
à manger. Mais, en passant dans cette pièce, Brigitte voulut palper le velours turquoise, et elle
dévoila ce faisant le chaos de la pelouse arrière.
La première dame compatit. C'était si fastidieux
d'entretenir un bassin de telles dimensions. La piscine de La Lanterne requérait les soins constants
de trois fonctionnaires, se désola-t-elle en prenant
place à la gauche de Serge pendant que le président, assis entre Ambre et Abdul, hésitait à prio-
riser l'étiquette ou son impatience de converser
avec un beau jeune homme issu de la diversité.

J'espérais qu'on me laisserait assister au repas.
Mais, au moment de servir, Cendrine m'envoya
rejoindre Marvin à l'étage, son fils n'ayant pas
déployé, dans l'après-midi, une équanimité suffi-
sante pour qu'on le présente aux Macron. Je ne suis
donc pas en mesure de témoigner sur ce qui s'est
produit au dîner. Je peux seulement confronter
les témoignages des personnes présentes aux éléments qui ont été abondamment colportés, dissé-
qués, interprétés par les chaînes d'information en
continu, la presse, la radio, et tout ce que la France
compte de médias.

Certains dirent que le président avait purement

et simplement assassiné le monument national. Notre père était affaibli par la maladie. Qu'avait-il besoin de parader à nos côtés pour redorer son image ? D'autres incriminaient Mathias Doucet, furieux Gilet jaune. Il n'était pas raisonnable que Serge Langlois, notoirement conservateur, le reçoive à sa table. Le vieil acteur avait dû s'enflammer en défendant ses points de vue, et ce coup de sang lui avait été fatal. Il se murmurait enfin que Serge avait succombé aux assauts de sa propre famille. Quoi qu'il en soit, comme chacun sait, le vieux lion du cinéma français s'éteignit cinq jours après avoir reçu en sa demeure le président et son épouse. Dîner au cours duquel il subit un accident cardiaque d'une telle gravité que le service mobile d'urgence, déboulé toutes sirènes hurlantes au dessert, préféra le laisser finir chez lui ses jours désormais comptés sur les doigts d'une main.

30

Un voile noir s'abattit sur le château. Serge était conscient mais faible, et nous errions autour de lui comme des ombres pour ne pas l'épuiser. Même Marvin tournoyait sans bruit. Il patrouillait dans notre domaine en prenant soin de rester sur l'herbe molle, afin de ne pas agiter une brindille dans le grand silence qui s'était étalé sur le parc.

Avant de perdre tout à fait connaissance, Serge tendit vers Ambre sa main bleue et lui demanda de faire venir le notaire. Ambre se pétrifia dans son fauteuil. Mais il l'assura qu'il ferait ce qui était juste, et elle se précipita pour l'embrasser, jurant qu'elle n'avait jamais douté de lui.

Dans le vestibule, je vis entrer un monsieur blême vêtu de gris. Cendrine le conduisit jusqu'au petit salon et approcha un siège du lit médicalisé. Le notaire prit place en extrayant de sa sacoche divers documents. Notre nurse s'affairait à rendre la réunion plus confortable, réglant la lumière, disposant des carafes sur les guéridons. Elle s'assura que Serge reposait à son aise, le dossier du lit remonté pour suivre la pleine teneur de la conversation, et quitta la pièce.

Le notaire entra dans le vif du sujet sans politesses excessives. Il savait que, dans les moments délicats, tout discours de réconfort était vain, et que mieux valait s'en tenir aux faits. Or les faits, en cette instance, c'était l'argent. Notre patrimoine, exposa-t-il, se répartissait de la manière suivante : un château situé sur la commune de Rambouillet, son terrain, ses dépendances ; vingt-deux véhicules de collection ; une villa et un yacht de trente mètres à Trinidad-et-Tobago, détenus par l'intermédiaire de deux sociétés basées au Luxembourg ; des actifs liquides se montant au jour d'aujourd'hui à trente-deux millions d'euros sur des comptes bancaires hébergés dans les Caraïbes.

Ambre étouffa un sanglot. De nouveau, Serge tendit la main vers elle. Le notaire observa un silence respectueux. Il savait qu'on en revient toujours aux faits. Mais Serge, à ce point, ne voulut plus de notre présence à la réunion. Il dit que ce n'était pas un endroit pour une petite fille. J'avais beau être la plus fine et la plus discrète des enfants, on ignorait comment tout cela pourrait agir sur mon imagination. Ambre fixa son mari avec une douleur muette. Elle lui redit qu'elle avait toute confiance en lui et m'entraîna hors du petit salon.

La mise en ordre de ses affaires avait apaisé Serge. Il portait maintenant un sourire serein sur toute chose – les jeux d'alliance entre les femmes à son chevet, la folie des enfants qui, après s'être longtemps persécutés dans le parc, couraient se réfugier sous son lit –, et il se préparait à entrer dans la mort. Ambre était si faible que son corps ne produisait même plus de larmes. Elle veillait en zombie cet homme qu'elle avait rencontré à dix-huit ans, qui lui avait offert autant de joies que de peines, les premières innombrables au début, les secondes injustement massées à la fin, et qu'elle avait mécaniquement compensées par des satisfactions extérieures, l'amour du public, les tributs de la nation – cet homme en qui, en un mot, se résumait sa vie.

Virginia rendit une dernière visite à notre père. Elle vint avec sa mère, Carole Desmoines. Serge ne reconnut pas sa deuxième épouse, qu'il avait passionnément aimée. Mais il eut un battement de paupières interrogatif en direction de Virginia, comme si elle lui rappelait une personne chère en qui s'était déposé, malgré tout ce qu'elle était, son sentiment le plus pur. Puis, lassé de ne pouvoir répondre à la question muette que lui posait la vision de sa fille préférée, il ferma les yeux.

Cendrine, Abdul, Madame Éva et Charles défilèrent en silence à son chevet. Mais Ralph refusa jusqu'à la fin de mettre le pied au petit salon. Il ne croyait pas à la mortalité de Serge. Il croyait s'être trouvé un père éternellement puissant, et il se retranchait dans les garages où il briquait obstinément les automobiles, refusant d'adresser la parole à quiconque, comme s'il nous jugeait tous coupables de haute trahison.

Puis un soir, le médecin dit que c'était fini. Serge ne rouvrait plus les yeux depuis des heures. Sa respiration s'était transformée en souffle rauque, longues inspirations bourdonnantes annonçant qu'il avait atteint le monde intermédiaire entre les vivants et les morts, et qu'une lame l'emporterait bientôt de l'autre côté. Assise en tailleur sous le lit, je fixais obstinément les jambes de notre mère pendant que Madame Éva et Cendrine allaient et venaient dans la pièce, apportant des verres d'eau, réglant la température, mais surtout pour vérifier que nous tenions le coup, jusqu'à ce que, vers trois heures du matin, une inspiration plus abrupte que les autres s'interrompe en pleine montée, sans rien produire par la suite.

31

Pendant une semaine, on vit partout le visage de notre père. Les hommages pleuvaient sur les chaînes de télévision. Alain Delon s'exprima au 20 heures depuis sa propriété de Douchy pour déclarer qu'il perdait avec Serge Langlois son seul alter ego dans le cinéma français. Dans l'émission de Michel Drucker, Dominique Bernard dit que tout le septième art était en deuil, et qu'avec Serge, c'était une certaine idée de la France qui mourait. Cent mille personnes se pressèrent autour de la butte Montmartre pour apercevoir le cortège funéraire qui montait vers le Sacré-Cœur. Il y avait tant de monde à l'intérieur que je ne me souviens de rien, sinon qu'Ambre m'écrasa la main pendant toute la cérémonie, puis qu'en sortant de la basilique, elle prit dans ses bras les membres de notre tribu, et que les photos de cette communion dans la douleur firent la une de tous les magazines la semaine suivante.

On rediffusa les plus grands films de Serge, les interviews qu'il avait accordées à Jacques Chancel, Yves Mourousi, Anne Sinclair, Henri Chapier, Frédéric Mitterrand. Sur les réseaux sociaux, une infinité de gens racontaient qu'ils l'avaient bien connu et postaient des selfies pris en marge d'un festival ou à la sortie d'un restaurant pour attester leurs dires. Le pays s'abîma dans le deuil jusqu'à l'écœurement.

Trois semaines en apesanteur s'écoulèrent avant la lecture du testament chez le notaire. On en attendait finalement peu de surprises. La loi française protège les épouses et les enfants. En toute logique, le patrimoine devait être divisé en deux, une partie revenant à Ambre, l'autre à Virginia. Mais la loi permettait aussi de léguer quelques souvenirs à la famille élargie. Personne ne s'étonna donc que le notaire convoque également Éva et Charles Caradec, Ralph Duc, Abdul Belkrim, Cendrine Barou, et même Hélène et Julien Mouret, qui avaient déserté peu avant la mort de notre père mais que celui-ci n'avait sans doute pas eu le cœur de révoquer.

À Hélène et Julien échut la 205 dans laquelle ils avaient déménagé et qu'ils n'avaient pas encore trouvé le temps de nous restituer. Abdul reçut

la Lamborghini, Ralph la Cadillac, la Chevro-
let et la Mustang, cependant qu'à Éva et Charles
Caradec revenaient l'usufruit du pavillon de
chasse et la pleine propriété de la Jaguar. Ensuite
les choses se compliquaient légèrement. Dans un
souci d'équité, Serge laissait à Ambre la villa de
Trinidad, à Virginia le yacht et les dix-sept autres
véhicules de collection. Quant au château, il faudrait se le partager, ou, si on ne parvenait pas à
s'entendre, le mettre en vente. Restaient les actifs
liquides domiciliés dans les Caraïbes. Ils s'élevaient au cours d'aujourd'hui à trente-trois millions d'euros nets, dont l'intégralité revenait à
Cendrine Barou.

Ambre demanda au notaire de répéter. Le
notaire répéta. Ambre redemanda au notaire de
répéter, ce que refit le notaire. Comme elle exigeait
une itération supplémentaire, Madame Éva posa
la main sur son avant-bras et lui confirma qu'elle
avait bien entendu. Les îles caraïbes disposaient
de leurs propres lois fiscales. On pouvait y léguer
ce qu'on voulait à qui on voulait, y compris à une
nurse moyennement sympathique entrée à notre
service moins d'un an plus tôt.

Divers objets traînaient sur le bureau du notaire
– une lampe à pied en laiton, un presse-papiers
en cristal, un gnomon en bronze. Comme les
yeux d'Ambre s'égaraient de l'un à l'autre, Abdul

et Ralph mirent ces instruments en sécurité dans une armoire. Il n'était pas très prudent de laisser traîner pareils ustensiles à la portée des légataires, commenta platement Madame Éva. Puis les regards se braquèrent sur Cendrine.

Debout près de la porte, celle-ci affichait un air innocent. Elle n'avait rien demandé, justifiat-elle dans un haussement d'épaules. Mais elle s'était beaucoup occupée de Serge les derniers mois, toujours aux petits soins pour son confort : il avait sans doute été sensible à ce dévouement. Et si elle s'était ouverte à lui de sa vie passée, des difficultés d'une mère célibataire en banlieue nord, de l'inquiétude qui la rongeait quant à l'avenir de son fils, ce n'était certainement pas dans le but de l'apitoyer ou d'obtenir de lui quoi que ce soit qu'elle ne méritait pas. Le mérite, justement, peut-être fallait-il s'appesantir sur ce point. Que méritaient Ambre et Virginia, dans le fond, qui lui avaient sucé la moelle jusqu'au dernier soupir ?

À ces mots, Virginia se jeta vers l'armoire et Ralph dut la ceinturer pour l'empêcher d'atteindre le presse-papiers. Il y avait des recours, à n'en pas douter, protesta Ambre en se tournant vers le notaire. Or il n'en existait aucun. Le testament était légal, il ne contrevenait à aucune disposition juridique, et Serge était en pleine possession de

167

ses facultés quand il l'avait signé. Ainsi, appuya le notaire pour s'assurer que tout le monde avait bien compris, les trente-trois millions atterrissaient dans la poche de Cendrine Barou, point barre.

32

On rentra au château dans le Hummer. C'était amusant que Cendrine occupe déjà la place du mort, nota par la suite Madame Éva. De fait, Ralph l'avait installée à l'avant pour l'éloigner de la vindicte d'Ambre, qui s'entassait sur la banquette avec Abdul et les Caradec. On entendit les mouches voler jusqu'à Rambouillet, puis chacun s'enferma dans ses quartiers.

Dès le lendemain, le nom de Serge Langlois revenait à la une des médias. Notre famille n'était pas à proprement parler déshéritée. Mais un legs de trente-trois millions à une nurse en CDD, c'était quand même fort de café. Même ceux que nos vies laissaient en général dans l'indifférence estimèrent qu'il y avait anguille sous roche. Et s'ils ne nous portaient pas toujours dans leur cœur, s'ils nous jugeaient un peu arrogants à poser sans cesse pour

Paris Match dans notre château ou sur des plages paradisiaques, exprimant à longueur d'interviews des opinions politiques peu éclairées pour justifier notre train de vie, ils éprouvèrent dans leur chair un violent sentiment d'injustice vis-à-vis des héritiers légitimes.

Quant à nos admirateurs, ils bouillaient de rage. Sur les réseaux déferlaient des invectives contre l'intrigante, cette Cendrine Barou qui avait manipulé le monument national sur son lit de mort pour accaparer sa fortune. Qu'importaient le château, la villa, le yacht, les automobiles. Sans argent pour les entretenir, ce n'était pas un cadeau mais une malédiction, s'indignaient-ils comme s'ils avaient eux-mêmes fait l'expérience des grandes demeures avant de choisir, en toute connaissance de cause, de s'installer en pavillon à Sartrouville ou Melun.

Une faction extrême, cependant, jubilait de notre déconfiture. Ceux-là se félicitaient du revers subi par notre famille. Ils apercevaient dans le dernier geste de Serge les prémices d'un grand renversement populaire. Au fond, le vieil acteur n'était pas si conservateur. Il rétablissait dans la mort une forme de justice.

Or Virginia n'entendait pas en rester là. Nonobstant l'avis du notaire, notre demi-sœur dénicha des avocats prêts à contester le testament. Ces derniers recommandèrent de conjuguer nos forces : nous apparaîtrions plus sympathiques si chacune ne se mobilisait pas pour ses propres intérêts. Pour la première fois de l'histoire, Virginia fit donc alliance avec Ambre. Leurs avocats se dépensèrent sans compter. Rien ne fut refusé à leur féroce appétit. Nous avions pour nous notre bon droit et toute confiance en la justice de la République.

Comme les avoirs de Cendrine étaient gelés pendant la bataille juridique, elle se terrait dans sa chambre en attendant de toucher son magot. Ambre n'était pas le genre de personne à fomenter un meurtre. Mais un coup de nerf, un instrument contondant sont si vite arrivés. Cendrine s'enfermait donc à double tour et se faisait porter sa nourriture par notre chauffeur. Ralph n'avait jamais manifesté beaucoup d'intérêt à son égard. On s'interrogea sur cette attitude secourable. Puis Madame Éva conjectura que Cendrine avait sans doute sur lui «un dossier». C'était l'explication la plus plausible, et personne ne s'étonna plus de le voir monter des plateaux de chips et d'Oreo – car, fidèle à ses passions sinon à tout le reste, Cendrine avait puissamment résisté aux raffinements de nos mœurs.

Le peuple, cependant, réclamait des comptes. Le garde des Sceaux avait fait pression sur ses troupes afin d'accélérer la procédure. Mais dès qu'on abattait une difficulté, il en surgissait une autre. Il apparut notamment que les biens domiciliés à

Trinidad posaient quelques problèmes. Conformément à la législation de cette île, ils n'avaient été soumis à aucune taxation. Or il existait une condition pour bénéficier de ce privilège, à savoir résider sur le territoire au moins six mois de l'année. Aurions-nous l'obligeance d'apporter la preuve que c'était le cas ? s'enquit poliment l'administration fiscale. Elle se contenterait de peu – des billets d'avion faisant foi, ou la preuve que l'enfant était scolarisée dans l'île.

Ambre exhiba ses posts Instagram. Décembre, janvier, avril, mai, juillet, août – six mois sur douze, nous posions le pied sur le sol trinidadien. Mais ce n'était pas exactement ce que demandait l'administration, objecta celle-ci dans une réponse des plus courtoises. Certes, nous passions Noël, les vacances de Pâques et d'été dans la villa sur la plage, mais pouvait-on prouver qu'on y vivait au moins cent quatre-vingt-trois jours par an ? Évidemment que non, rétorqua Ambre à nos avocats.

Les hommes de loi touillaient leur thé dans nos fauteuils. Ils paraissaient embêtés – vous ne savez pas comme sont les contrôleurs fiscaux, madame Langlois, pinailleurs au possible, ils sont terriblement attachés à cette règle des cent quatre-vingt-trois jours. Ne pourrait-on faire un petit effort pour se souvenir que nous résidions effectivement à Trinidad pendant tout ce temps ?

172

Ambre se tourna vers Virginia pour la prendre à témoin de l'inanité de ces propos. Mais les yeux de notre demi-sœur s'égaraient vers le parc. Son regard s'enfouissait sous l'ombre des mélèzes, comme si elle cherchait dans la forêt endormie une nouvelle ligne de défense.

Madame Langlois devait absolument accorder à ce point tout le sérieux qu'il méritait, insistaient les avocats en se tortillant dans le Louis XVI. La question du lieu de résidence était épineuse. Il fallait apporter la bonne réponse, ou l'on risquait de nous jeter à la porte de notre villa, de notre yacht, de nos automobiles.

Soudain Virginia bondit du pouf. On n'avait pas payé nos impôts ? Mais on était cinglés, à la fin, fulmina la rapatriée de Californie.

Conscients que l'alliance battait de l'aile, les avocats s'avancèrent sur le bord de leurs sièges. Il fallait maintenir un front uni contre l'intrigante réfugiée dans l'attique, plaidèrent-ils. Mais l'alliance était déjà foutue. Notre demi-sœur avait compris que les biens insulaires reposaient sur un terrain hautement glissant et qu'elle venait de risquer sa part de château pour du sable. Et, comme si Serge lui avait en définitive légué l'esprit du jeu pour seul héritage, elle résolut de perdre avec panache.

Deux heures plus tard, Virginia dans un grand manteau blanc déclarait à la presse qu'elle renonçait à sa part de succession. En dépit de ses innombrables qualités d'homme et d'acteur, Serge Langlois n'avait pas payé ses impôts. Par solidarité avec le peuple français, elle refusait de toucher un centime. Du jour au lendemain, la fille préférée de Serge devint l'enfant chérie de la nation. Les réseaux s'enflammaient. Elle était citée en exemple par ceux-là mêmes qui la traitaient autrefois de gosse de riche. Virginia faisait rougir tous les enfants de stars qui s'étaient un jour avancés sur le devant de la scène sans payer leur tribut aux moins fortunés. Des producteurs la courtisèrent pour son indépendance d'esprit, des marques qui cultivaient une image de rébellion lui firent des offres alléchantes, et notre demi-sœur fut bientôt récompensée pour son abnégation.

On attendait qu'Ambre fît de même. Nos plus fervents défenseurs avaient beau arguer qu'elle s'était entièrement dévouée à sa famille, qu'elle avait tout donné pour la carrière de son mari, on ne décolérait pas que le monument national ait mis ses millions à l'abri pendant que les Gilets jaunes risquaient leur peau sur les Champs-Élysées.

Notre mère commit l'erreur de s'enfermer au château. Les éléments déferlaient autour d'elle, et elle observait sans réagir le peuple s'empoigner à propos de notre famille, comme si cette dernière cristallisait toutes les passions rentrées, la rage contre l'exécutif mais aussi le rêve de choses douces et tendres, d'un peu d'amour au milieu du carnage. Ambre se momifiait sur la méridienne quand résonna le premier coup de bélier.

C'était vingt-trois heures, le gotha dormait à poings fermés dans les Yvelines. Éjectée de sa torpeur par les cris, Ambre se précipita vers la fenêtre. Des individus enfonçaient les grilles du portail au chariot élévateur. Elle voulut appeler Madame Éva mais, le temps que celle-ci arrive du pavillon de chasse, Ralph dévalait déjà l'escalier, barricadait les ouvertures et appelait la police. Les insurgés avaient défoncé le portail. Ils entraient dans la cour, marchaient vers les garages et forçaient la porte à coups de barre à mine.

Les clés de contact étaient enfermées dans une armoire métallique. Ils n'eurent aucun mal à faire ronronner la Porsche, la Mustang, la Cadillac, la Ferrari, la Maserati, la Lamborghini. Bientôt les véhicules défilaient sur l'allée circulaire. Des supporters s'étaient engouffrés par le portail éventré, ils acclamaient les participants dans le ronflement des moteurs. Les coureurs s'avancèrent sur le flanc du château, ratatinant ce qui restait du jardin anglo-chinois. La Porsche n'eut pas le temps de freiner avant le lac enfoui sous les joncs, mais elle parvint à s'extraire de la boue dans un crissement de pneus et poursuivit la Ferrari vers l'arrière du

175

domaine. La Cadillac écrasait les moignons des as, évitait de justesse la piscine pour s'élancer après la Maserati, qui filait sur la pelouse pendant que la Lamborghini et la Mustang contournaient le château. Une aile racla les balustres en granit, enfin les pilotes regagnèrent la cour où leurs supporters jetaient du gravier sur nos fenêtres au cri de rendez l'argent.

La police débarqua dans des hurlements de sirène. Pas à un mais à dix véhicules, eux-mêmes suivis de fourgons blindés dont s'éjectèrent, entre les gonds arrachés du portail, les compagnies républicaines de sécurité. Monstrueusement harnachés, les policiers lancèrent des lacrymogènes. Une nappe de gaz encercla le château. Dans la brume âcre qui s'étalait sur le parc, ils chargèrent les assaillants pour les repousser dans la forêt. Pris en nasse, ces derniers tombaient comme des mouches sous la pluie de balles de défense. Les policiers s'assurèrent qu'ils restaient au sol à coups de matraque ou de bouclier – sous les mélèzes, rien n'était clair. Enfin ils traînèrent vers les fourgons, sanguinolents et menottés, les six individus venus faire un tour dans nos automobiles et la dizaine de supporters qui avaient jeté quelques cailloux sans rayer la moindre fenêtre.

33

Abdul quitta le château le lendemain. Il en avait assez vu. De quoi étions-nous capables, nous les grands qu'il avait tant admirés ? De nous terrer dans notre propriété, arc-boutés sur un héritage frauduleux, quand le peuple au-dehors réclamait l'impôt qui lui revenait de juste. Oui, Abdul en avait assez vu. Il retourna au Blanc-Mesnil avec la fierté de nous avoir tourné le dos.

Le portail fut restauré grâce à l'argent de l'assurance. Derrière les grilles hérissées de flèches à pointes d'or, nous n'étions plus que huit. Cendrine attendait son magot dans l'attique, Ralph montait la garde au bout du couloir et Ambre somnolait sur la méridienne pendant que Madame Éva lisait le journal près du feu. Son mari Charles restait seul au pavillon de chasse. Marvin filait sous ses fenêtres comme une flèche, et je jouais avec mon frère Ory, dont Ambre disait qu'il comptait pour rien.

Les seules visites que nous recevions étaient celles de la police. Les manœuvres de nos avocats avaient déclenché une enquête dans le but de prouver que Serge avait agi sous influence quand il avait modifié son testament. Les policiers ne venaient pas nous embêter, oh non, surtout pas. Ils désiraient seulement savoir si une personne mal intentionnée avait pu approcher le cher défunt et le manipuler de façon à tirer de lui un quelconque bénéfice. Ambre n'avait rien à déclarer. Elle avait offert son amitié à une nurse sans scrupule et voyez le résultat, explosa-t-elle en désignant le foutoir du grand salon. Puis elle retourna à son unique activité, qui consistait désormais à s'enrouler sur la méridienne en maudissant le genre humain.

Près du feu, Madame Éva semblait plongée dans un débat intérieur. Il fallait bien que quelqu'un mentionne le méthylphénidate, avança-t-elle sur un ton hésitant. Ambre se tourna vers elle sans comprendre. Notre intendante ne prétendait pas que le médicament prescrit au jeune Marvin avait accéléré la mort de Serge, se défendit-elle aussitôt. Elle aurait été bien en peine d'étayer pareille assertion. Elle notait simplement que la moitié des comprimés conservés dans l'armoire à pharmacie de l'office avaient disparu, et de toute évidence pas dans l'estomac du gamin, souligna-t-elle en indiquant le garçon qui tourniquait furieusement dans le parc.

Les enquêteurs parurent très intéressés par ce point. Mais ils s'intéressèrent d'abord à la personne de madame Caradec. Ils s'étaient renseignés avant de venir. Serge Langlois ne l'avait pas oubliée dans son testament, semblait-il ? Et un pavillon de chasse, une Jaguar, ce n'était pas rien quand on approchait de la retraite sans la moindre petite pension à l'horizon, n'est-ce pas madame Caradec ? Mais au fait, comment se portait monsieur Caradec ? S'était-il tout à fait remis de son séjour en prison ?

Sur la méridienne, Ambre émit un petit cri.

– En maison d'arrêt, corrigea tranquillement Madame Éva.

Oui, reprirent les enquêteurs sans se départir de leurs sourires aimables, quelques années plus tôt, Charles Caradec avait passé trois mois en détention provisoire. On le soupçonnait d'être lié à la disparition d'une ancienne voisine, une certaine Annabelle Lecoq, si notre mémoire était bonne.

Elle était excellente, confirma notre intendante.

Les traits d'Ambre se chiffonnaient de concentration. Elle avait déjà entendu ce nom, mais où ?

– Chez Christophe Hondelatte, répondit obligeamment Madame Éva.

C'était au printemps dernier, quand on pensait que Serge remontait la pente au lieu de la

179

dévaler irrémédiablement. Il suivait l'émission de l'animateur avec notre intendante lorsque Ambre avait déboulé en criant que le président s'invitait à dîner, puis aussitôt éteint l'écran où souriait la pétulante Annabelle.

— Se retrouver au cœur de deux affaires aussi suspectes, ce n'est pas banal, commenta l'un des enquêteurs.

— Oh mon Dieu non, se récria ingénument notre intendante.

— Serge est mort d'un infarctus à soixante-dix ans. Il buvait, il mangeait trop, ça n'a rien de suspect, s'impatienta Ambre, qui trouvait qu'on s'égarait.

Or ce point restait à vérifier, estimaient les enquêteurs. Et ils demandèrent à voir la boîte de méthylphénidate. Madame Éva leur rapporta le médicament. L'un d'eux enfila des gants en latex pour saisir la plaquette de comprimés et l'examina avec précaution. Naturellement, on relèverait les empreintes, alors si madame Caradec avait quelque chose à déclarer, ce serait bien de le dire tout de suite, suggéra-il. Notre intendante fit observer qu'elle venait de lui remettre la boîte. En toute logique, ses empreintes devaient tartiner le carton.

— Les vôtres ou celles de votre mari, se reprit vivement l'enquêteur.

Était-il tout à fait impensable, en effet, que

180

Charles Caradec ait accéléré la mort de Serge pour mettre la main sur le pavillon et la Jaguar ? Ma foi, réfléchit Madame Éva, ç'aurait été une idée. Puis, réfléchissant encore, elle demanda quel aurait été le bénéfice puisqu'elle et son mari occupaient déjà le pavillon et qu'ils n'allaient jamais nulle part, encore moins en Jaguar. L'enquêteur dut reconnaître qu'elle marquait un point. Puis son collègue décida qu'il fallait interroger Cendrine, et ils montèrent dans l'attique.

Ambre commençait tout de même à se poser des questions. Elle observait en coin Madame Éva, qui s'était servi un bourbon et placidement replongée dans le journal.

Quand les enquêteurs redescendirent enfin, ils paraissaient à la fois déçus et satisfaits. Cendrine leur avait ouvert très poliment lorsqu'ils avaient toqué à sa porte. Elle s'était montrée aimable, coopérative. La mine embarrassée, elle avait avoué que son jeune Marvin n'était pas toujours facile. Sur le conseil du médecin, il lui arrivait effectivement de lui administrer – mais la mort dans l'âme, et à doses homéopathiques – un peu de méthylphénidate. L'affaire était donc close, tranchèrent les enquêteurs. Madame Éva leva la tête de son journal. Elle les contempla dans le contre-jour des flammes et siffla son verre sans répondre quand ils dirent au revoir.

À l'horloge, les secondes tiquaient dans le silence du grand salon. Ambre surveillait toujours notre intendante. Elle pensait à cette Annabelle Lecoq. Elle se demandait si Madame Éva et son mari avaient autrefois attenté aux jours de leur voisine. Lassée de l'observer sans trouver de réponse à ses questions, elle chassa une vieille miette et verbalisa ses doutes. Éva et Charles avaient-ils assassiné la malheureuse Annabelle, oui ou non ?

– Bien sûr que non, rétorqua notre intendante. Annabelle vit dans l'attique.

Éva Caradec n'avait sans doute pas prévu de révéler son secret ce soir-là. Mais elle se sentait en sécurité, privée de tout ce qu'elle aurait pu craindre de perdre. À l'époque, elle et Charles venaient d'acheter une maison. C'était la première fois qu'ils possédaient un logement à eux, un beau jardin. Ils étaient certains d'y couler une douce retraite. Mais seuls les soucis avaient fleuri sur cette terre ingrate. Les Lecoq vivaient dans la maison mitoyenne. Dès le premier jour, ils n'avaient eu de cesse de leur faire subir mille misères, endommageant l'isolation phonique à coups de perceuse, plastronnant fenêtres ouvertes ou conviant le voisinage à de bruyants apéritifs de l'autre côté de la haie. Bientôt les Caradec étaient prisonniers de leur maison, ils étaient détruits de l'intérieur. Le couple n'avait donc pas été trop triste quand, un beau jour,

Annabelle s'était volatilisée avec son petit garçon sur l'autoroute qui les ramenait de vacances, sans plus donner signe de vie. Mais le soulagement des Caradec avait été de courte durée. Les recherches avaient vite révélé que Charles se trouvait dans le périmètre où on perdait trace d'Annabelle et de son fils au moment de la disparition. Les Caradec entretenaient des relations notoirement difficiles avec les Lecoq. Divers indices s'étaient accumulés. Charles avait été jeté en détention.

Sur la méridienne, Ambre dévisageait notre intendante comme un poisson mort. Madame Éva se resservit un bourbon. Elle sirota pensivement son verre et le reposa sur l'accotoir avant de reprendre son récit.

Charles croupissait en cellule depuis deux mois quand elle avait reçu un coup de fil. Éva eut un choc en reconnaissant la voix d'Annabelle. Celle-ci se portait comme un charme, merci bien. Et cela d'autant plus qu'elle s'était éloignée de monsieur Lecoq, lassée qu'il lui envoie des petits coups. Rien de trop visible, juste un gnon dans le bras ou dans le ventre de temps en temps. Mais à force de se voir couverte de bleus, Annabelle en avait eu marre. Bien sûr, il y avait des solutions plus évidentes que de disparaître. Elle aurait pu porter plainte, divorcer. Mais il y avait chez elle cette pente perverse qui lui faisait préférer les complications à toute chose. Annabelle avait donc organisé son enlèvement. D'ailleurs, elle ne s'appelait déjà plus Annabelle : elle s'était rebaptisée Cendrine et travaillait au U du Blanc-Mesnil. Mais neuf euros soixante-seize bruts de l'heure, ça ne faisait pas lourd quand on avait un petit Marvin à élever. Alors ce serait bien qu'Éva l'aide un peu, par exemple de cinquante mille. Cette dernière crut à une plaisanterie. Or Cendrine-Annabelle, en dépit de son imagination fertile, n'avait aucun humour. Elle voulait son pognon et elle avait le moyen de l'obtenir. Parce qu'elle avait bel et bien vu Charles le jour où elle s'était envolée. Elle lui avait fixé rendez-vous sur un parking de station-service sous un prétexte fallacieux, et le petit Marvin, qui jouait avec le téléphone de sa mère dans un coin, avait comme par hasard pris une photo de la rencontre. La police serait sans doute très intéressée de la recevoir, fit remarquer Cendrine-Annabelle.

Éva aurait dû donner l'alerte. Mais, en trente ans de vie conjugale, elle n'avait jamais vécu séparée de son mari : elle perdait le sens commun. Elle considéra que cinquante mille pour récupérer Charles et se débarrasser définitivement d'Annabelle, c'était un bon prix.

Sur la méridienne, Ambre écumait d'indignation. Notre intendante ne s'était-elle pas senti

l'obligation de prévenir les Langlois qu'ils nour-
rissaient une vipère dans leur sein ? À maintes
reprises, Éva avait essayé de la mettre en garde,
objecta celle-ci. Mais Ambre se cramponnait
à la joie, elle n'avait que faire de ses prémoni-
tions. Enfin, fulmina notre mère, l'autre était en
cavale, elle devait craindre plus que tout d'être
dénoncée.

C'est-à-dire qu'il subsistait un dernier problème, exposa lentement Éva. Avant de lui ficher
la paix, Cendrine-Annabelle avait exigé encore
un truc. Elle voulait faire disparaître toute trace
de sa vie passée. Or, dans l'allée où vivaient les
deux couples, des travaux sur le réseau de gaz
avaient mis à nu les canalisations. Il suffisait parfois d'un bon coup de pioche dans le système
pour régler tout un tas de difficultés, avait suggéré
Cendrine-Annabelle au téléphone.

Sur la cheminée, l'horloge ne tiquait plus,
comme si le temps au château s'était de nouveau
détraqué. Éva lampa une goutte au fond de son
verre.

Une semaine après leur dernière conversation,
une fuite de gaz entraînait un incendie qui détrui-
sit les deux maisons. Éva ressentit une sorte de
jouissance à voir voler en fumée le théâtre de ses
maux. Par une heureuse coïncidence, le témoi-
gnage d'une autre voisine venait d'innocenter

Charles, et elle oublia qu'elle s'était pour toujours enchaînée à l'ennemie. Le couple était ruiné. Ils échouèrent dans un hôtel miteux, où ils vécurent une année avant qu'elle décroche le poste d'intendante du château.

Dans le contre-jour, Éva arborait une expression curieusement sereine. Elle en avait assez vu. Elle pouvait affronter les années à venir dans la quiète lecture des faits divers, à contempler le tourment des autres depuis la rive.

– Mais c'est le diable, s'insurgea notre mère d'une voix blême.

Et comme Éva ne répondait rien, Ambre répéta, pour bien se pénétrer de cette révélation, qu'une année durant, elle avait hébergé le diable en son sein. Notre intendante hocha lentement la tête. Elle n'avait plus rien à craindre de Cendrine. Dans une certaine mesure, elle l'admirait peut-être d'être ce diable qui ne reculait devant rien pour parvenir à son but, qu'aucun scrupule ne retenait jamais dans sa course.

– Ce n'est pas possible, souffla Ambre en marchant vers le feu.

Les flammes se reflétaient dans ses pupilles. Pour la première fois, elle paraissait habitée d'une volonté extérieure au foyer, d'une ambition qui, tout en la réintégrant dans ses droits, rétablirait une forme de justice.

– Contre le diable, il n'y a que la joie, murmura Ambre.

Éva lui jeta un regard navré. Notre mère demeurait donc inéluctablement engluée dans la niaiserie pour imaginer se venger ainsi de Cendrine ? C'était ridicule. Mais le feu dansait toujours dans les yeux d'Ambre. Elle fixait le tisonnier, cherchant ses mots parce qu'une nouvelle conception de la joie venait de l'effleurer, celle des sorcières dansant autour du chaudron, l'excitation de fomenter des sorts, de perpétrer dans l'ombre des maléfices. Or pouvait-on réellement parler de maléfice quand il s'agissait d'abattre le diable ? La morale, à tout le moins, nous exonérerait dans nos cœurs. Oui, dit Ambre, il faut abattre Cendrine. Et comme Éva méditait cette réflexion, notre mère tourna vers moi son regard pointu.

34

Ralph s'était toujours montré gentil avec moi. Sans me marquer beaucoup d'intérêt, il acceptait mon existence comme on tolère les caprices de nos proches, passant à Serge cette folie qui lui avait fait adopter une enfant à soixante ans passés. Moi aussi, j'aimais bien Ralph. Mais je n'avais pas oublié les pattes de lapin qui poussaient dans le parc. Et je n'avais pas non plus oublié que, le lendemain du jour où je l'avais surpris en train d'ajouter une pièce à sa collection dans la remise, Biniou était mort d'une maladie bizarre, comme tous nos bichons avant lui.

À force de tournicoter autour des garages, j'avais attiré l'attention de Madame Éva. Notre intendante détenait toutes les clés de toutes les serrures. Elle dut bientôt percer le secret de Ralph, car il manifesta soudain moins d'empressement à porter des plateaux-repas à Cendrine. Celle-ci essaya de persuader son fils de lui monter sa nourriture. Mais le jeune Marvin se révélait piètre domestique. Il avait à peine descendu un étage qu'il oubliait sa mission, distrait par quelque nouvelle idée – il n'avait pas encore pensé à dévisser les butées de porte pour les lancer sur le lustre, ou c'étaient les barres du tapis qu'il arrimait dans un fauteuil pour construire un tipi. Surtout, le buste de Serge l'attirait furieusement. À mi-hauteur de l'escalier tournant, c'était le trophée le plus convoité, son plus grand défi. Et Marvin s'escrimait en vain, à travers les balustres de la rampe, à déboulonner le bronze fiché par des tenons à trois mètres du sol.

Lassée de dépérir sous les combles, Cendrine se risqua à l'office. Par la porte entrebâillée du grand salon, elle entendit Ambre et Éva comploter près du feu. La première insistait pour révéler à la police la véritable identité de notre nurse, mais la seconde objectait qu'il n'y avait rien d'illégal à fuir un mari violent. Certes, la méthode n'était pas orthodoxe. Cendrine avait mobilisé les services de l'État, partis à sa recherche pendant des semaines, elle avait vécu sous une fausse identité, triché avec la sécurité sociale. Mais rien de tout cela ne nous rendrait nos millions, conclut notre intendante dans un soupir résigné.

Peu à peu, Cendrine se rassura sur nos intentions.

Elle descendit plus régulièrement à l'office. Puis, fatiguée de tourner en rond dans l'attique, elle remit le pied dehors, accompagna Marvin dans ses caval-cades entre les mélèzes. Le printemps revenait. Les pâquerettes fleurissaient sur la pelouse hirsute. La brise soulevait la bâche qui couvrait la piscine, lais-sant apparaître un marécage de feuilles mortes où barbotaient les grenouilles. Oui, Cendrine se déten-dait petit à petit. Elle ne sentit pas l'étau se resser-rer autour d'elle. Privée de tous les stratagèmes qui fouettaient son désir de vivre, elle finit par se per-suader que notre famille ne méritait pas sa peine : pitoyables marionnettes, nous n'avions même pas la force de nous rebeller sous son joug. Elle crut que nous avions pris notre parti des pluies de sauterelles, des invasions de grenouilles, de l'hécatombe de nos millions et de la mort de tous nos désirs. Elle baissa la garde. Elle vécut trois jours de plus.

35

Avec ce frère Ory, personne ne me croyait plus. C'était la source d'infinis malentendus mais parfois un avantage.

Un matin d'avril, mon frère repéra par la fenêtre de notre chambre un mouvement suspect. La bâche de la piscine battait au vent, découvrant une large portion du bassin, et parmi les lentilles d'eau où gîtaient les grenouilles des traînées d'un rouge profond, presque brique. Je courus prévenir Ambre. Elle jeta un coup d'œil dehors et appela aussitôt les inspecteurs qui étaient venus pour le méthylphénidate.

À leur arrivée, Ambre expliqua que j'avais été réveillée en sursaut par mon frère Ory. Et, prononçant ce nom, elle y mit des guillemets invisibles pour signifier qu'il ne fallait pas prendre tous mes propos pour argent comptant. Les policiers furent invités à voir par eux-mêmes la spirale d'eau louche qui serpentait dans la piscine. Ils firent quelques pas en direction du bassin, échangèrent un bref regard et se ruèrent sur leurs téléphones pour appeler du renfort – collègues en uniforme, supérieurs hiérarchiques, pompiers, ambulance.

Madame Éva me retint dans l'attique avec Marvin pendant qu'on remorquait le corps. C'est hors de nos vues qu'on l'enveloppa dans une couverture de survie, qu'on remonta sur son visage tuméfié la fermeture à glissière et qu'on le transporta sur un brancard à travers l'office, le vestibule, la cour d'honneur, jusqu'à une ambulance devenue bien inutile. Un plongeur remonta du fond de la piscine le buste de Serge. Il fallut environ dix secondes pour conclure que c'était l'objet qui avait enfoncé le crâne de notre nurse avant qu'on la traîne jusqu'au bassin – mais qui ? – afin de brouiller les pistes – mais pour combien de temps ?

Au château, personne ne portait Cendrine dans son cœur. Restait la faisabilité. Qui avait franchi le pas, seul ou avec complice ? Tous affirmaient avoir dormi, rien entendu. Ils mentaient, à l'évidence. Les enquêteurs disséquèrent les alibis. Ils établirent rapidement qu'Éva Caradec ne se trouvait pas au pavillon de chasse à l'heure où elle le prétendait, mais à l'office en train de se servir un bourbon. En attestait la bouteille vide, qui ne l'était pas une demi-heure plus tôt, lorsque Ambre s'en était versé un doigt avant d'aller se coucher. Mais celle-ci était-elle vraiment montée à l'étage puisque Ralph l'avait croisée dans le vestibule à trois heures du matin, alors qu'il descendait récupérer le jeune Marvin échappé de sa chambre ? On doutait cependant que ce fût la vraie raison qui avait attiré notre chauffeur hors de chez lui à une heure si tardive. Cette nuit-là, Marvin avait dormi à poings fermés, sonné par le méthylphénidate. Preuves en étaient la plaquette de médicament aux trois quarts vide sur sa table de chevet et l'air groggy qu'il arbora trois jours de suite. Après quoi il se remit à tourner dans le parc, sans se préoccuper de la défection de sa mère davantage que de l'envol des corneilles ou des pies.

Pour les enquêteurs, il était terriblement usant de s'affronter à des suspects qui n'avaient rien à perdre, répondaient aux questions avec langueur et paraissaient se moquer qu'on les jette en prison. À force d'acharnement, ils établirent néanmoins quelques vérités. Cendrine avait été mortellement blessée dans le vestibule, où le buste avait chuté sur son lobe frontal depuis l'escalier. Deux individus l'avaient ensuite transportée jusqu'au bassin. Puis les auteurs avaient jeté le bronze dans l'eau, nettoyé sommairement le dallage, et ils étaient partis se coucher.

Alors ce serait bien, maintenant, d'avouer toute la vérité, se fâchèrent les enquêteurs. Ambre afficha une expression désolée. Sous le joug de Cendrine, l'imagination s'était infiltrée dans nos veines. Nous faisions encore la différence entre la réalité et la fiction, mais la ligne de démarcation avait perdu toute importance à nos yeux. On ne cherchait plus, par exemple, à me contrarier au sujet de mon frère Ory. Un lutin s'était immiscé dans ma tête à la naissance. On crut qu'il partirait avec l'âge, mais il avait pris ses quartiers, et cela n'était pas si grave, dans le fond, puisqu'il m'aidait à vivre. Donc non, ce n'était pas mon frère Ory qui m'avait réveillée en sursaut le matin de la découverte du corps, soupira Ambre. Je m'étais réveillée toute seule, j'avais regardé par la fenêtre et vu Cendrine au fond de la piscine.

Pardon, contredirent les enquêteurs, comment, de ma chambre, aurais-je pu apercevoir le cadavre maintenu sous la bâche ? Quand ils étaient arrivés, seuls les serpents d'eau rouge s'échappaient entre les grenouilles, et il avait fallu découvrir entièrement la piscine pour apercevoir le spectacle en dessous.

Ambre éclata en sanglots. Ses épaules maigres tressautèrent un long moment. Enfin elle bafouilla que oui, bien sûr, nous savions déjà ce qui gisait au fond de la piscine. Mais il n'était pas question

qu'une petite fille trinque pour le diable, s'insur-
gea-t-elle dans une série de hoquets, quand bien
même cette enfant serait techniquement responsable de l'accident. Et, dans une longue tirade
entrecoupée de larmes, elle admit qu'elle s'était
violemment disputée avec Cendrine le soir où
celle-ci avait trouvé la mort.

Il n'y avait pas besoin de chercher midi à qua-
torze heures pour deviner la raison de leur que-
relle. C'étaient les millions, encore et toujours
les millions. Ce soir-là, Cendrine s'était montrée
particulièrement vipérine. Elle avait prétendu
qu'Ambre n'avait jamais contribué à la fortune de
Serge, et que sa seule légitimité procédait de cette
petite fille qu'elle s'était procurée à l'autre bout
du monde pour s'assurer l'héritage. Ivre de colère,
Ambre l'avait attrapée par les cheveux, et les
deux femmes s'étaient tant battues que leurs cris
m'avaient réveillée. Pieds nus dans mon pyjama,
j'étais descendue jusqu'à mi-hauteur de l'escalier,
où, terrifiée par la scène sous mes yeux, j'avais
fait basculer le bronze dans le vide pour mettre
fin au vacarme. Pourtant le buste était soudé au
mur, insistait Ambre. L'artisan avait assuré qu'il n'y
aurait aucun danger à exposer de la sorte la tête du
monument national, aussi cet accident était-il parfaitement incompréhensible, répétait-elle avec des
hochements incrédules.

Près du feu, le visage de Madame Éva se plissait de concentration. On se tourna vers elle. Il fallait bien admettre, finit-elle par lâcher, qu'elle avait souvent vu le jeune Marvin – privé par sa mère de figure paternelle et désormais orphelin – s'en prendre au buste de Serge. Le garçon manifestait une force peu commune pour son âge. À tant vouloir déboulonner la tête, peut-être avait-il fragilisé les soudures ? On reconnut que c'était possible. On me demanda si j'avais effectivement poussé la tête de mon père dans le vide. Comme je ne répondais pas, on m'assura qu'il n'y avait aucune honte à dire la vérité – ce serait même un grand soulagement pour tout le monde. Je ne répondis toujours rien. On me laissa tranquille jusqu'au lendemain, où les enquêteurs revinrent avec une dame en longue robe marron et collier de grosses perles multicolores.

La dame s'assit à califourchon sur le pouf et entreprit de me faire parler. Elle posa des questions oiseuses puis sortit de sa sacoche des feuilles pour que je dessine mes pensées – pourquoi pas ce dont j'avais rêvé la veille ? Je détournai les yeux vers le parc. C'était le gris vide d'un printemps sans éclat. Les pâquerettes flétrissaient parmi les débris de la forêt. La dame essaya une autre tactique. Elle extirpa de sa sacoche un livre épais et l'ouvrit en grand sur la table basse. Les pages imprimées aimantèrent aussitôt mon regard. Ce n'était pas un livre pour enfants. C'était des photographies de statues édifiées dans les rues parisiennes. Il y avait des généraux sur leur monture, des déesses nues, mais aussi des enfants, chérubins aux prises avec des animaux fantastiques ou des démons. La dame me laissa feuilleter le livre. Je m'arrêtai sur la représentation de deux gamins domptant une panthère, œuvre agressive et fort laide dont la vue ne contribuait certainement pas à apaiser les mœurs des Parisiens. La dame suivit mon regard, soupesa son menton. Sur le dos de la panthère, un enfant aiguillonnait l'autre pour qu'il étrangle l'animal. Je souffrais pour le fauve, torturé par ces deux chérubins stupides, quand la dame me demanda si ce ne serait pas mon frère Ory qui avait poussé la tête de notre père dans le vide. Je méditai cette solution. Elle me parut bien. Je levai les yeux vers la dame et répondis oui, c'est Ory qui a tué Cendrine.

36

Après quoi Ambre et Ralph avouèrent sans difficulté qu'ils avaient traîné le corps jusqu'à la piscine pour brouiller les pistes. Quant à l'homicide involontaire, il avait été perpétré par une enfant de neuf ans. La France entière convenait que j'étais traumatisée : ç'aurait été ajouter le crime au crime que de me punir. Au contraire, il me fallait des soins. Trois fois la semaine, on me conduisit chez la pédopsychiatre, qui faillit me rendre folle à vouloir me guérir. J'employais toutes mes forces à la pacifier, soumise à ses manœuvres thérapeutiques sans non plus montrer trop de zèle. Au bout d'un an, comme mon comportement ne trahissait aucun dysfonctionnement capital, on espaça les séances.

J'allais maintenant à l'école publique avec Marvin. Les enfants du peuple ne prenaient pas de gants pour m'interroger sur le scandale qui avait frappé par deux fois notre famille. Je répondais factuellement. Puis, quand j'en avais assez de l'inquisition, je les renvoyais vers mon frère Ory. Les enfants du peuple s'ébattaient en criant La Chinetoque est toc toc, et Ambre avait toutes les peines du monde à convaincre leurs parents que, née en plein cœur de l'Asie centrale, je n'avais jamais posé le moindre petit peton dans l'Empire du Milieu. Mes résultats ne souffrirent pas de la vindicte populaire. On espaça encore les séances, puis on me ficha définitivement la paix.

Pendant ce temps, les adultes se débattaient avec les ennuis judiciaires. C'était sans cesse des convocations au tribunal, des conciliabules avec nos avocats au grand salon. Pas plus que Marvin je ne tentai, au cours de cette période, de pêcher les poissons dans le lac gorgé de vase ou de me noyer. Personne ne nous félicita pour cette conduite exemplaire. On était trop occupés à éviter la prison.

En dépit de tous leurs manquements, il y avait de l'amour dans le geste d'Ambre et Ralph, qui avaient agi dans le seul but de me protéger. La cour d'assises y fut sensible. Chacun fut condamné à trois ans avec sursis pour dissimulation de corps et de preuves. À l'annonce du verdict, une joie furieuse embrasa le château. Ambre et Ralph arrachèrent les lambeaux des grands rideaux turquoise et les firent flamber dans la cheminée en lançant YouTube à plein volume. Ils dansèrent comme des fous sur la table basse pendant qu'Éva faisait sauter les bouchons de champagne sur le lustre. Mais la liesse fut de courte durée. Dès le lendemain, le fiscaliste vint faire le point sur notre situation financière. Il jeta un œil désabusé sur les décombres du grand salon et nous apprit que les biens insulaires devaient être vendus pour régler l'ardoise fiscale. Avec le solde, on pourrait tout au plus payer nos avocats. Quant aux millions, ils échoyaient au fils de Cendrine.

À la faveur des événements, on avait retrouvé le père du garçon. Arnaud Lecoq était agent immobilier dans le Val-d'Oise. Il s'était montré très discret depuis le début de l'affaire. Mais il se manifesta soudain avec insistance auprès des autorités : Cendrine-Annabelle l'avait trop longtemps privé de son fiston. Il voulait rattraper le temps perdu, l'élever comme un bon petit gars, taper avec lui dans un ballon. Le père de Marvin ne fit pas bonne impression aux autorités. L'aide sociale s'en mêla, requit une expertise psychologique de l'enfant. Mais, dès qu'on l'éloigna du château, Marvin cessa de tourner pour hurler à la mort. On nous le ramena d'urgence.

Éva et Ambre observèrent le gamin faire des ronds sur le tapis, puis les vestiges de notre demeure. Les mites picoraient la tapisserie, les araignées tendaient leur toile dans les angles, les moisissures rongeaient les stucs, qui s'effritaient sur le parquet gondolé par l'humidité. Marvin n'était pas si gênant, dans le fond. Au point où on en était, autant l'adopter. Ainsi j'aurais enfin un frère, puisque j'avais l'air d'y tenir.

Ambre avait démontré la force de son amour maternel auprès de la nation. Elle obtint sa garde sans difficulté. Mais les millions de mon frère restaient sous séquestre. On devait encore établir le montant des arriérés d'impôts sur les investissements offshore, et l'État s'enferra dans d'inextricables négociations avec le fiscaliste avant de parvenir enfin à un accord. Puis, quand on obtint la clôture les comptes pour se payer, les fonds de placement se révélèrent frauduleux. Ils reposaient sur un montage financier consistant à rémunérer les investisseurs avec les sommes apportées par les nouveaux entrants. Le système s'écroula dans l'instant où on retira notre pierre de l'édifice, et les millions partirent en fumée.

Serge savait-il que sa fortune se réduisait à rien ? Il apparut soudain qu'il nous avait légué tout ce qu'il possédait de solide, et à Cendrine les ennuis. On se reprocha de l'avoir mal jugé. On en voulut aux avocats, qui nous avaient encouragés à tout risquer pour courir après des mirages. On s'interrogea sur notre propre faculté de jugement, qui nous avait conduites à adopter Marvin en échange de rien du tout. Puis on relativisa. Tant qu'on a un toit sur la tête, philosopha Ambre en arrachant le rembourrage qui s'échappait de la méridienne.

Notre demi-sœur, qui avait publiquement renoncé à sa part d'héritage, vint signer les documents qui nous cédaient la pleine propriété du château. Virginia se présenta dans son grand manteau blanc. Elle constata que le domaine prenait l'eau de toutes parts, qu'il en coûterait un maximum de le remettre à flot, et signa sans se retourner. Nous ne devions jamais la revoir sinon en couverture de *Public* ou *Closer*, puis de moins en moins à mesure que les années plongeaient sa carrière de chanteuse dans l'obsolescence programmée.

Ambre avait plus de quarante ans, de beaux restes quoique maigres. Avait-elle aimé Serge au point de se retirer du monde après sa mort, ou choisit-elle par paresse de couler le reste de ses jours dans un mausolée rongé par les orties et les ronces ? Peut-être aussi que Ralph lui procurait tout ce qu'elle attendait maintenant d'un homme.

On avait pardonné à notre chauffeur ses errances. Après les automobiles, Ralph avait une autre passion. Il aimait la chasse, traquer l'animal au petit matin, le prendre au couteau sous les arbres. Ralph attrapait tout ce qu'il pouvait – des lapins, des chevreuils, parfois un faon. N'étaient ces maudits bichons, il aurait pu s'adonner à son loisir en toute tranquillité. Mais il fallait sans cesse surveiller les chiens, arracher de leur gueule les restes de ses proies. Puis, quand ils devenaient un peu trop habiles à les déterrer, Ralph leur faisait manger les baies des ifs pour les réduire au silence.

Ambre n'avait pas aimé ses chiens au point de les préférer à un chauffeur si dévoué qu'il dissimulait les cadavres, travaillait pour rien, et rapportait même un peu d'argent grâce à de menus travaux dans le voisinage. C'est aussi par lui qu'on reçut des nouvelles du Blanc-Mesnil.

Abdul s'était finalement bien réadapté à une vie plus modeste. Il vivait en colocation avec Brahim. Tous deux avaient lancé une marque de sport écoresponsable, et l'affaire prospérait. C'est Aminata qui tenait la boutique. La jeune femme s'était séparée de Mathias. Ce dernier n'avait pas digéré le dîner présidentiel. Furieux du piège tendu par son amie, il lui avait déclaré qu'elle avait franchi la ligne rouge, et la jeune femme avait aussitôt quitté son poste au U. Puis, une fois consommée la dose réglementaire d'acrimonie post-rupture, ils avaient fait la paix. Et tout le monde paraissait à peu près heureux, du moins autant qu'on peut l'être dans cette vie.

Au château, notre mère avait renoncé à diriger mon éducation en même temps qu'à tout le reste. Elle laissait maintenant Éva me procurer tous les livres que je voulais. Notre intendante m'encourageait souvent à partager mon point de vue, à préciser la formulation. Ensemble, nous débattions de tous les sujets. Il n'y avait aucune information sur notre famille qu'elle refusât de me transmettre. Grâce à elle, je passai les années suivantes à recomposer le tableau. Avec le temps, les informations contenues dans la presse et sur les réseaux, puis quand j'ai interrogé nos amis du Blanc-Mesnil sur les points qui me restaient obscurs, les lignes de fuite se sont dégagées du paysage. Je les ai consignées ici pour mon usage personnel, afin qu'on n'essaie plus jamais de me faire dévier des faits. Aujourd'hui, j'ai vingt ans. Je poursuis des études d'archéologie à l'université Panthéon-Sorbonne sous un faux nom. J'ai bon espoir de me détourner bientôt de l'histoire de Rambouillet pour me consacrer à celle de l'Asie centrale. Pour frère, je me contente désormais de Marvin.

Les curieux nous visitent encore de loin en loin. À travers les grilles hérissées de flèches à pointes d'or, ils glissent leurs appareils pour immortaliser la façade jaune et lisse. Leurs commentaires nous parviennent par le micro de la caméra de surveillance. Tous s'étonnent que notre château soit si mal entretenu. Ils savent pourtant que nous n'avons pas les moyens de tronçonner les ronces, de rafistoler les murs. Les curieux disent encore que nous étions bien chanceux, nous qui avons été élevés ici, c'est un grand malheur de voir ce que nous sommes devenus. Et les écoutant, nous nous cachons un peu plus derrière les rideaux, terrés dans la forteresse de notre enfance qui demeure, au fond du passé, le socle de nos vies.

Les curieux estiment cependant que nous nous en sommes bien tirés. Après tout, nous avons grugé le peuple, versé son sang. Nous ne méritions pas la clémence des toges garnies d'hermine. Et c'est vrai que nous nous en tirons à bon compte. Il n'y avait pourtant pas d'autre solution. Si l'on avait su que c'était Éva, droite comme la justice à mi-hauteur de l'escalier, qui avait fait basculer le buste de Serge pendant que je glissais un œil effrayé derrière son grand kimono noir, si l'on avait appris qu'Ambre et Ralph l'avaient couverte pour célébrer ensemble notre victoire sur le démon, tous trois se seraient retrouvés à Fleury-Mérogis et je serais restée seule avec Marvin, deux enfants sauvages chassant au lance-pierre parmi les mélèzes.

CET OUVRAGE A ÉTÉ ACHEVÉ D'IMPRIMER LE
VINGT-NEUF OCTOBRE DEUX MILLE VINGT ET UN DANS
LES ATELIERS DE NORMANDIE ROTO IMPRESSION S.A.S.
À LONRAI (61250) (FRANCE)
N° D'ÉDITEUR : 6842
N° D'IMPRIMEUR : 2104696

Dépôt légal : janvier 2022